Nous remercions le ministère du Patrimoine canadien,
la SODEC et le Conseil des Arts du Canada
de l'aide accordée à notre programme de publication

Patrimoine canadien   Canadian Heritage

Conseil des Arts du Canada

Canada Council for the Arts

ainsi que le gouvernement du Québec
– Programme de crédit d'impôt
pour l'édition de livres
– Gestion SODEC.

Nous reconnaissons l'aide financière
du gouvernement du Canada
par l'entremise du Programme d'aide au développement
de l'industrie de l'édition (PADIÉ) pour ce projet.

Illustration de la couverture
et illustrations intérieures :
Christine Dallaire-Dupont

Couverture :
Conception Grafikar

Édition électronique :
Infographie DN

Dépôt légal : 4e trimestre 2006
Bibliothèque nationale du Canada
Bibliothèque nationale du Québec

1234567890 IML 09876

ISBN 2-89051-986-4
11209

Panique au Salon du livre

• Série *Éolia* *princesse de lumière* •

Celle qui voyage dans ses rêves
et résout les enquêtes les plus difficiles...

DU MÊME AUTEUR
AUX ÉDITIONS PIERRE TISSEYRE

Collection Chacal

Storine, l'orpheline des étoiles, volume 1 :
Le lion blanc (2002).

Storine, l'orpheline des étoiles, volume 2 :
Les marécages de l'âme (2003).

Storine, l'orpheline des étoiles, volume 3 :
Le maître des frayeurs (2004).

Storine, l'orpheline des étoiles, volume 4 :
Les naufragés d'Illophène (2004).

Storine, l'orpheline des étoiles, volume 5 :
La planète du savoir (2005).

Storine, l'orpheline des étoiles, volume 6 :
Le triangle d'Ébraïs (2005).

Storine, l'orpheline des étoiles, volume 7 :
Le secret des prophètes (2006).

Storine, l'orpheline des étoiles, volume 8 :
Le procès des dieux (2006).

Collection Papillon

Le garçon qui n'existait plus, roman (2006).

La forêt invisible, roman (2006).

Le prince de la musique, roman (2006).

Catalogage avant publication
de Bibliothèque et Archives Canada

D'Anterny, Fredrick 1967-

(Éolia ; 4)
(Collection Papillon ; 127)
Pour les jeunes de 9 ans et plus.

ISBN 2-89051-986-4

I. Dallaire-Dupont, Christine. II. Titre III. Collection : D'Anterny, Fredrick 1967- . Éolia ; 4. IV. Collection Papillon (Éditions Pierre Tisseyre) ; 127.

PS8557.A576P36 2006 jC843'.54 C2006-941789-X
PS9557.A576P36 2006

Panique au salon du livre

roman

Fredrick D'Anterny

ÉDITIONS PIERRE TISSEYRE

5757, rue Cypihot, Saint-Laurent (Québec) H4S 1R3
Téléphone : (514) 334-2690 – Télécopieur : (514) 334-8395
Courriel : ed.tisseyre@erpi.com

Pour Mélanie Perreault,
qui a eu la bonne idée d'inviter
la princesse Éolia au Québec.

Fiche d'identité

- Je m'appelle Éolia de Massoret, et je suis princesse de Nénucie.
- J'ai dix ans.
- On dit de moi que je suis intelligente, enjouée, maligne, sensible, têtue, secrète.
- Je suis troisième dans l'ordre de succession au trône, derrière mon père et mon jeune frère.
- J'habite au palais royal de Massora : 1, boulevard de Nénucie, 01 100, Massora, royaume de Nénucie, Europe.
- On prétend aussi que je suis bizarre parce que je fais des rêves qui me révèlent des injustices commises dans le royaume.
- En plus d'aller à l'école et de tenir mon rang de princesse, je dois enquêter et résoudre plein de mystères dans le plus grand secret, bien sûr, car les journalistes sont à l'affût du moindre scandale.
- Ma technique est simple : je trouve des indices dans mes rêves grâce à mes sept poupées magiques, puis je pars enquêter avec mon ami le colonel de la garde.

21

1

Le cycliste volant

La pendule de sa chambre indiquait minuit quatorze. Tout énervée, Éolia se dépêcha de boucler sa dernière valise. Quelque chose, cependant, n'allait pas. D'un geste machinal, elle réajusta la petite couronne sur son front.

Personne ne fait ses bagages au beau milieu de la nuit! se dit-elle. *À moins que...*

Voyant briller l'âtre de sa cheminée magique, elle s'approcha, se pencha sous le manteau et comprit qu'elle rêvait. L'instant d'après, elle se laissa aspirer par Le Vent Qui Vient Du Monde Des Rêves...

Elle ne fut pas surprise de voir surgir à ses côtés Paloma, sa poupée magique du lundi soir. Ce qui l'effraya, par contre, fut de se retrouver projetée en plein ciel sans parachute.

Le premier instant de panique passé, elle s'aperçut que Paloma nageait dans le ciel comme un oiseau. Piquée au vif, Éolia décida que si une poupée pouvait voler, elle était bien capable de le faire aussi.

Suspendue dans le vide, la princesse s'étonna de voir flotter, non loin, une petite table ronde surmontée d'un parasol blanc et rouge comme on en trouve d'ordinaire dans les cafés de Massora. Paloma, sans doute habituée à ce genre d'apparition, plana jusqu'à l'une des trois chaises installées autour. Puis, repliant sa robe qui flottait au vent, aussi légère qu'un papillon, elle s'assit dessus.

Voulant réussir son atterrissage, Éolia visa avec soin, mais manqua de justesse la chaise en métal. Heureusement, elle parvint à s'accrocher au rebord de la table avec ses mains.

— Bonjour, lui lança soudain un clown assis en face d'elle en lui adressant un sourire franc.

Éolia ouvrit de grands yeux étonnés. L'homme mystérieux qui vivait dans le monde des rêves, et qu'elle appelait affectueusement l'Ambassadeur de lumière, était toujours grimé en clown.

— Chocolat ou café au lait?

— Moi, je prendrai un chocolat chaud! demanda Paloma.

Ces deux-là me cachent quelque chose, songea la princesse en voyant apparaître, sur la table, deux tasses de chocolat chaud pour Paloma et elle. Un verre de lait à la framboise fut servi par magie à celui qui était – Éolia le pensait, en tout cas – l'ange gardien de la Nénucie.

L'Ambassadeur but son lait à l'aide d'une paille luminescente. Au bout de quelques secondes, il s'arrêta pour montrer du doigt les nuages.

— Tu vois cet homme, là-haut?

Paloma et Éolia levèrent la tête.

— Ça alors! s'étonna la fillette.

— Il a l'air de faire de la bicyclette, ajouta Paloma, ébahie.

— Oui, mais sans bicyclette!

L'Ambassadeur avait raison. L'individu pédalait, mais dans le vide. Vêtu d'une sorte de longue robe sombre, il avait les cheveux noirs et portait une barbe frisottée.

Paloma plissa les paupières, détailla l'étrange personnage, et ajouta:

— On dirait qu'il tient un livre dans sa main.

— Mais qu'est-ce qu'il peut bien fabriquer dans notre rêve? interrogea Éolia en se demandant où l'Ambassadeur voulait en venir.

Car, d'habitude, quand il lui rendait visite en rêve, c'était pour la charger d'une mission secrète.

— Justement, Lia! lui dit le clown, en lisant dans son esprit.

Soudain, comme s'il les avait remarqués, l'homme au vélo invisible fit un cercle dans le ciel puis «roula» dans leur direction.

— Il vient vers nous! s'effraya Paloma en s'accrochant aux rebords de la table.

Le curieux cycliste passa au-dessus de leur parasol. Le souffle d'air fut si violent que Paloma en perdit sa tasse. L'homme lâcha son livre qui vint rebondir sur la table. Éolia l'attrapa d'un geste vif.

— Je suis sûre qu'il nous l'a lancé exprès ! déclara Paloma en tanguant dangereusement sur sa chaise.

Comme leur table affublée du parasol oscillait encore à la suite du déplacement d'air, Éolia eut l'impression d'être assise sur un manège.

— Regarde le livre, Lia, lui demanda le clown d'un ton sérieux.

— Il n'y a rien sur la couverture, ni titre ni illustration. Est-ce normal ? s'enquit la princesse en commençant à avoir mal au cœur.

L'Ambassadeur de lumière esquissa un sourire en coin qui déforma ses grosses lèvres peintes en rouge.

— L'affaire est grave, Lia. Ce sera à toi de découvrir ce que trame cet individu.

— Mais, je..., commença-t-elle.

— Tu vas devoir enquêter dans un pays étranger. Acceptes-tu ?

Au moment où la princesse allait répondre, Paloma, qui avait du mal à retrouver son équilibre, tomba brusquement dans le vide.

— Au secours ! hurla la poupée en tourbillonnant comme une fleur.

Atterrée, Éolia se baissa pour l'attraper par une jambe. Mais, déséquilibrée à son tour, elle tomba à la suite de Paloma. En une fraction de seconde, la princesse leva les yeux vers l'Ambassadeur et se mordit les lèvres. Le clown, la table, le parasol : tout avait disparu !

Un éclair déchira le ciel. Se rappelant qu'elle vivait un rêve, la fillette sut qu'elle ne pouvait pas mourir.

Et Paloma ? se demanda-t-elle, soudain très inquiète.

La sensation du vide était si réelle que son cœur remonta dans sa poitrine. Alors qu'elle refermait difficilement ses doigts sur la cheville de Paloma, un terrible grondement de tonnerre retentit. Un autre éclair zébra l'air à deux mètres d'elle. Éclaboussée d'étincelles, la jeune princesse ressentit une vive douleur à l'épaule droite.

Elle hurla, puis se réveilla en sursaut.

Un visage grimaçant s'approcha d'elle. Effrayée, Éolia cria une seconde fois.

— Je déteste prendre l'avion ! s'exclama Madame Étiquette. Ils disent que nous traversons une zone de turbulences, mais je ne suis pas tranquille.

Titubant comme si elle était ivre, la vieille gouvernante royale s'assit sur le siège voisin de celui où sommeillait la princesse. Sa main froide et rêche se posa sur le front de la fillette.

— Ce n'est rien. Vous avez fait un mauvais rêve.

À cet instant, la jeune princesse se rappela qu'elle se trouvait à bord du grand avion appartenant à la famille royale, et qu'ils volaient vers le Canada.

Fouillant avec nervosité dans son sac, la comtesse de La Férinière sortit triomphalement un petit tube de cachets.

— Je sens que ma tête va exploser.

Éolia fronça les sourcils en imaginant des petits bouts de la tête de sa gouvernante en train de sauter sur ses genoux comme des pommes de terre rissolant dans une poêle.

— Il faut que j'aille aux toilettes ! déclara-t-elle en se levant.

Madame Étiquette brandit devant ses yeux un de ses interminables doigts osseux.

— Le commandant de bord a ordonné de rester assis !

— Quand il faut y aller, il faut y aller ! ironisa la fillette en sortant de la cabine de luxe.

— Voyons, Altesse, ce n'est pas sérieux ! Je vous dis que...

Un trou d'air secouant l'appareil lui coupa la parole.

Éolia longea le corridor ouvert sur une série de hublots à travers lesquels on apercevait de gros nuages aussi sombres que de l'encre. En chemin, elle croisa Allan, un des gardes du corps de la famille royale. Elle se réfugia dans les toilettes et alluma le plafonnier.

Détachant les boutons de son chemisier couleur crème sur lequel était cousu un bel oiseau bleu, elle dégagea son épaule droite. En frottant sur sa peau, le tissu lui causa des picotements désagréables. Bien que les étincelles de l'éclair l'aient atteinte dans son rêve, elle ne distinguait aucune trace de brûlure. Par contre, sa peau était si sensible qu'Éolia n'avait plus le moindre doute :

cette douleur signifiait que ce rêve, comme le lui avait révélé l'Ambassadeur, annonçait bel et bien une nouvelle enquête.

Mais une enquête sur quoi ? Sur ce bonhomme qui faisait du vélo sans vélo ? Sans Mélanie, mes passages secrets, mon ordinateur, Monsieur Monocle et tous mes accessoires de maquillage, ça ne sera pas facile !

Curieuse de connaître l'horaire officiel de leur séjour au Québec, elle décida de rejoindre son grand-père qui travaillait dans son bureau, entouré de ses conseillers politiques.

Le Boeing 747 aux couleurs d'Air Nénucie était aménagé comme un véritable hôtel de luxe flottant. C'était la première fois qu'Éolia se rendait en Amérique du Nord, et elle en était tout excitée. Riant sous cape, elle repensa à ce qui lui avait permis de gagner ce voyage.

Heureusement que grand-père n'a qu'une seule parole !

Les deux gardes du corps en faction devant les bureaux du roi s'écartèrent pour laisser entrer la princesse. Se faisant toute petite, la fillette adressa un timide signe de la main à son grand-père, puis elle s'assit dans un coin de la grande pièce capitonnée.

Croisant le regard sombre du colonel de la garde, elle lui sourit. Quatre hommes en costume-cravate se tenaient autour du roi. Apparemment, chacun avait quelque chose de très important à lui dire.

— Majesté, déclara un petit bonhomme qui ressemblait à Monsieur Monocle, le majordome de la princesse, nous avons reçu la confirmation du bureau du premier ministre du Canada. Vous dînerez dimanche prochain à son domicile, Sussex Drive, juste avant que nous repartions pour la Nénucie.

— Les Québécois ne désignent-ils pas le dîner comme le souper et vice versa ? demanda la dernière recrue de l'équipe royale, un jeune relationniste de presse nerveux aux yeux de fouine.

D'un mouvement du menton, le grand chambellan s'excusa auprès du monarque pour ce curieux commentaire.

Mais le roi tenait à ce que chacun se sente à l'aise. Aussi leva-t-il une main clémente en souriant au jeune homme.

— Ils dînent à midi et soupent vers dix-huit heures, lui expliqua-t-il.

— Majesté, reprit le responsable de son emploi du temps, jeudi soir, nous recevrons au consulat Joseph Tremblay, le premier ministre du Québec à... souper.

— Il a appris que nous voulions installer un métro à Massora, précisa son attaché politique. Il tentera probablement de nous convaincre de faire appel à l'expertise québécoise pour en concevoir les plans.

– Vendredi à midi, si votre horaire le permet, ajouta celui qui s'occupait de l'agenda, le maire de la ville de Montréal aimerait que vous... dîniez chez lui.

— J'ai entendu dire qu'il était bon cuisinier, souligna le monarque en s'apercevant qu'Éolia, toujours assise dans son coin, s'ennuyait... royalement.

Ce qui était justement le cas.

Déçue de ne pas avoir son grand-père pour elle toute seule, ne serait-ce que quelques minutes, la jeune princesse se leva et sortit du bureau. Le colonel de la garde, celui qu'elle surnommait Monsieur X parce qu'il lui faisait penser à un agent secret, la suivit discrètement.

Il la rejoignit dans le corridor devant un hublot qui ne montrait du ciel que d'énormes banderoles de fumées blanches et grises percées d'un pâle rayon de soleil.

— Vous semblez songeuse, Altesse, lui dit l'officier en baissant les yeux.

Il était si grand qu'il devait toujours baisser les yeux pour parler à la fillette.

Éolia pouvait-elle lui confier le rêve qu'elle venait de faire ? Partager avec lui son inquiétude à propos de Paloma et de cette nouvelle enquête qui s'annonçait bien mystérieuse ? Mais pour l'instant, un détail qu'elle tenait à vérifier lui revint à la mémoire.

— Est-ce que tout s'est déroulé comme prévu, Monsieur X ?

L'officier sourit.

— Rassurez-vous. La grosse valise a été embarquée à l'insu de tous. Je la ferai livrer à la villa du consulat sans que votre gouvernante l'apprenne.

Il est encore trop tôt pour que je lui parle de mon rêve, décida Éolia. *Après tout, je ne sais encore rien.*

— Je ne m'explique toujours pas comment vous avez pu gagner ce voyage, Altesse, ajouta le colonel en caressant sa fine moustache. Mais quelque chose me dit que je ne vais pas tarder à l'apprendre...

Cette réflexion du colonel lui rappela qu'elle avait une autre chose à voir. Fouillant dans ses poches de jeans, elle retrouva la page qu'elle avait imprimée avant de quitter la Nénucie.

Elle prit congé du colonel et regagna son siège. Puis elle relut le mot bizarre qui était à l'origine de son voyage au Québec.

Je ne vais pas tarder, moi aussi, à en apprendre davantage, se convainquit la fillette en rangeant sa feuille, car Madame Étiquette, qui semblait avoir du mal à marcher droit, revenait s'asseoir.

— Altesse, gronda-t-elle, exaspérée devant l'insouciance de la princesse, vous ne vous êtes pas encore changée ! J'espère que vous allez vous conduire en jeune fille bien élevée durant notre séjour !

Éolia avait cessé depuis longtemps d'avoir peur de sa vieille gouvernante.

Maintenant, elle lui donnait plutôt envie de rire. Cependant, comme Madame Étiquette ne cessait de la dévisager derrière ses épaisses lunettes, Éolia craignit qu'elle ne se doute de quelque chose.

— Votre mère et moi-même trouvons très étrange votre entêtement à accompagner le roi dans ce pays où il fait toujours froid.

C'est bien ce que je pensais ! Maman l'a chargée de me tenir à l'œil.

Ce qui promettait bien du plaisir.

Agacée par le pessimisme naturel de sa gouvernante, Éolia trouva amusant de la faire enrager.

— Saviez-vous qu'en été, au Québec, il fait plus chaud que chez nous ?

Mais Madame Étiquette n'écoutait plus. Le teint livide, elle tendait le cou vers le haut-parleur, car la voix monocorde du commandant de bord faisait une annonce :

— Avis à tous les passagers, veuillez attacher votre ceinture. Nous entamons notre descente sur l'aéroport Pierre-Elliott-Trudeau...

2

Le messager

Le colonel de la garde franchit la guérite des douanes canadiennes et vint serrer la main de l'homme qui l'attendait depuis des heures.

Martin Ouellet, envoyé spécial de la gendarmerie royale, était chargé d'assurer la sécurité du roi de Nénucie durant son séjour au Canada.

— Xavier Morano, chef des services secrets de Sa Majesté, se présenta le colonel en fixant le policier droit dans les yeux.

Ouellet lui présenta son second, un homme grand et mince comme un fil, à l'allure affable mais à l'œil de lynx.

— Comment se présente la situation ? demanda le colonel.

— Avec vos propres agents, nous disposons de quarante-six policiers en civils. Les autorités de l'aéroport ont aussi déployé leurs propres agents. Le service de déminage a procédé ce matin à la sécurisation du périmètre.

— Bien.

Chaque déplacement du roi ou d'un membre de la famille royale était toujours soigneusement planifié. Le colonel écouta les derniers détails du plan mis au point par le sergent Ouellet, dont les grandes lignes avaient été transmises au palais royal deux semaines plus tôt.

— La semaine dernière, la Sécurité du Québec a interrogé deux immigrants nénuciens qui prétendaient vouloir empêcher le roi de quitter l'aéroport.

Surpris, le colonel leva un sourcil. Le Québec avait accueilli, au cours des dix dernières années, un total de deux mille six cent trente citoyens de Nénucie qui étaient, depuis, devenus citoyens canadiens.

Normal, songea le colonel, *car notre pays a, de son côté, accordé la citoyenneté nénucienne à plus de trois mille Québécois au cours de la même période.*

Il savait par ailleurs que la venue du roi au Québec était contestée par de nombreuses personnes. Se pouvait-il que certaines d'entre elles aient planifié des manifestations ou bien, ce qui était pire encore, des projets d'attentats ?

Cette dernière pensée le fit pâlir d'appréhension.

— Pourrions-nous avoir du mal à sortir, sergent ?

Devinant que le colonel parlait de l'achalandage de l'aérogare des arrivées, Ouellet hocha la tête.

— C'est possible. Environ deux cents citoyens d'origine nénucienne attendent depuis trois heures l'arrivée de votre roi. Monsieur Roger Gaillon, votre ambassadeur, est également arrivé avec son épouse, de même que les médias, bien sûr ! Mais rassurez-vous : les limousines sont prêtes, et votre escorte policière aussi.

Le colonel, qui n'arrivait pas à se sortir de l'esprit l'éventualité d'un attentat, alluma son émetteur-récepteur et contacta son second, resté auprès du roi dans l'appareil.

— Nous allons escorter le roi et sa petite-fille directement jusqu'à l'aérogare, ajouta Ouellet.

— Parfait. Je vais donner l'autorisation aux autres passagers du vol de se présenter à vos douanes.

Ces détails de dernière minute étant réglés, le colonel rejoignit deux de ses lieutenants.

— Messieurs, dites à vos hommes de se mêler à la foule et de soutenir l'équipe du sergent Ouellet. Et, surtout, ouvrez l'œil !

Habitués à ce genre d'opération, les deux militaires en civils saluèrent leur officier.

Tous les aéroports du monde se ressemblent, se dit le colonel en déambulant dans les larges corridors bordés de magasins, de cafés et de petits restaurants. Seules les pancartes, rédigées en anglais mais aussi en français, montraient combien le Québec était une terre à l'identité très distincte en Amérique du Nord.

Une main l'attrapa soudain par une manche. En se retournant, Monsieur X se retint de dégainer son arme automatique. L'homme devant lui n'était pas un terroriste, mais il ne le considérait pas, non plus, comme un ami.

— Monsieur Dagota ! s'exclama le colonel, faussement ravi.

Ernest Dagota, le photographe vedette de *L'Écho de Massora*, avait été envoyé par son magazine afin de couvrir le séjour du roi au Canada.

— Colonel, commença Dagota, je...

— Désolé, le coupa l'officier. Sa Majesté vous a déjà accordé une séance de photos, hier, avant notre départ...

— Heu... C'est plutôt au sujet de notre petite princesse...

Éolia détestait Dagota parce que ce photographe avait déjà cherché, par le passé, à prendre d'elle des photos « illégales », comme elle disait[1] ?

---

1. Voir *Le garçon qui n'existait plus*, du même auteur, dans la même collection.

Le colonel remarqua la reliure d'un gros livre dépassant du sac à moitié ouvert du journaliste. Il ne put lire qu'une partie du titre – ... *Michel-Ange* – et se dit que ce n'était pas prudent de se balader ainsi le sac ouvert, car les aéroports étaient truffés de voleurs à la tire.

— Allons, colonel, rien qu'une photo!

L'aérogare était bondée de monde. Préoccupé, l'officier abandonna le photographe sans ajouter un mot. Celui-ci lui envoya un regard noir de rage.

Benjamin Michaud, douze ans, se fraya un chemin entre les journalistes de TQS, de TVA et de Radio-Canada qui attendaient devant les portes du terminal. Un célèbre annonceur faisait des tests de micro, tandis qu'une dizaine de policiers de la Sécurité du Québec repoussaient les gens qui s'approchaient trop de la guérite.

Un jeune homme suivait Benjamin. Il réussit à l'attraper par le col de son manteau juste avant que le garçon ne s'adresse à un journaliste.

— Ben !

— Oh ! fit Benjamin en reconnaissant son frère.

— Tu croyais m'avoir semé !

Lorsque Simon, qui avait dix ans de plus que son frère, avait promis de le conduire à l'aéroport aujourd'hui, Benjamin s'était senti le plus heureux des enfants. Durant le trajet, coincés dans la circulation, Simon avait tenté de tirer les vers du nez à son jeune frère. Mais, malgré le léger embonpoint qui le complexait, Ben avait déjà une forte personnalité. Il s'était mis dans la tête de rencontrer la princesse de Nénucie. Et même s'il avait dû faire la route à pied depuis le quartier Côte-des-Neiges où ils habitaient, il se serait tout de même rendu à l'aéroport pour la voir.

— Tu ne comprends pas ! lui dit Ben en secouant les épaules pour se libérer de la poigne de son frère.

— Bien sûr que non. À moins que tu m'expliques.

Simon Michaud aimait beaucoup son frère cadet. Depuis qu'il était petit, contrairement à lui, Benjamin avait une vocation : il voulait devenir annonceur à la télé ou alors faire de l'animation à la radio.

— Je ne peux pas, répondit Ben, c'est un secret.

Simon croisa ses grands bras sur sa poitrine et émit un sifflement suspicieux.

— Si tu ne me le dis pas, il faudra que tu expliques à maman pourquoi tu n'es pas allé à l'école, aujourd'hui.

— Tu sauras tout à la maison, avança Benjamin après avoir bien réfléchi.

Soudain, il y eut un mouvement de foule, puis plusieurs clameurs.

— Je veux voir ! s'exclama Benjamin.

Comme ils avaient été repoussés par les policiers dans la quatrième rangée, Simon hissa son frère sur ses épaules.

Par les doubles portes vitrées, quelques personnes commençaient à sortir. Quatre hommes minces au teint basané vêtus de complets-veston apparurent.

— Ce sont les gardes du corps, annonça le garçon.

Un grand homme de cinquante-cinq ans au visage intelligent et portant une fine barbe blonde teintée de fils blancs sortit à son tour.

— C'est le roi ! fit Ben.

Accompagné par six autres hommes, le roi de Nénucie se rendit jusqu'à l'estrade aménagée par les services de l'aéroport pour qu'il donne sa première conférence de presse en sol québécois. De nombreuses personnes tenaient à bout de bras des pancartes sur lesquelles on pouvait lire : « Bienvenue à vous, Majesté ! », « Salutations de Massora », ou encore d'autres noms de villes nénuciennes.

Ces gens viennent sans doute de ces endroits et vivent à présent au Québec, se dit Simon.

— Regarde là-bas ! s'écria soudain son petit frère.

Simon suivit la direction désignée par le doigt de Benjamin.

« On vous aime, princesse Éolia ! » lut-il sur une autre pancarte.

— Elle est là ! s'exclama Benjamin, tout énervé.

Lorsque la jeune princesse franchit à son tour les portes de l'aérogare, les flashes des photographes se mirent à crépiter. Vêtue d'une jolie robe mauve et d'un chemisier en dentelles, Éolia tendit sa main, sourit aux caméras et envoya quelques baisers en direction des jeunes Nénuciens d'origine venus avec leurs parents pour l'accueillir à l'aéroport.

— Simon, descends-moi, s'il te plaît! supplia Benjamin.

Son grand frère le déposa au sol. Puis, s'accroupissant devant lui, il le regarda avec inquiétude.

Benjamin sourit. Il prit une profonde inspiration et parla très vite.

— Regarde, près d'Éolia. Tu vois cet homme bronzé aux cheveux courts qui porte deux moustaches fines de chaque côté de son grand nez?

Sans lui laisser le temps de répondre, il poursuivit :

— Eh bien, la princesse l'appelle Monsieur X. Et cette vieille femme très maigre, avec un chignon et un air toujours en colère, c'est Madame Étiquette, sa gouvernante!

— Où veux-tu en venir, à la fin? s'impatienta Simon en songeant que leur mère, qui ignorait tout de leur petite escapade, serait sûrement d'aussi méchante humeur, ce soir!

— Et cet autre homme roux, encore plus grand que Monsieur X? C'est Allan, son garde du corps.

— Tu es décidément très bien renseigné. Et alors?

— Alors, laisse-moi aller lui porter ça!

— Quoi?

Le garçon sortit de la poche de sa veste une feuille pliée en quatre.

— J'ai promis à la princesse.

— Comment, tu as parlé à la princesse Éolia!

Benjamin hocha la tête.

— Je lui ai promis, répéta-t-il.

Puis, sans que Simon n'ait rien pu faire pour l'en empêcher, Benjamin fendit la foule, se fraya un passage entre les photographes, toucha le dénommé Allan au bras. Pendant ce temps, filmée en direct sur les ondes des trois grandes chaînes nationales, la princesse répondait à quelques questions.

Rendu extrêmement nerveux à cause de l'étrange comportement de son jeune frère, Simon s'attendait presque à se faire arrêter et menotter par les policiers. Il fut stupéfait de voir le garde du corps roux se pencher vers Benjamin et empêcher un agent de sécurité d'empoigner le garçon. Simon n'était pas encore

revenu de sa surprise, que Benjamin réapparaissait à côté de lui.

— Voilà ! lui dit-il. Mission accomplie.

— Quelle mission, Ben ?

Le gamin lui adressa un clin d'œil.

— Je t'ai dit que je t'expliquerai tout à la maison !

Le soir même, assis sur le sofa devant la télé, les deux frères regardaient le déroulement des entrevues données aux médias par le roi et la jeune princesse.

Le monarque expliquait qu'il était venu à Montréal pour assister au Sommet mondial sur l'environnement qui se tenait à l'hôtel *Queen Elizabeth.* À la question d'un journaliste : « Avez-vous reçu des menaces pour vous dissuader de venir ? » le roi répondit, avec son franc-parler habituel, que l'environnement était un enjeu mondial et qu'il était hors de question qu'il laisse les grosses compagnies polluantes dicter sa conduite.

Leur mère, qui préparait le souper, s'impatienta :

— Baissez le volume et venez à table, les enfants !

Benjamin se tourna vers son grand frère et lui murmura à l'oreille :

— Je sais comment la princesse a pu suivre son grand-père à Montréal.

— Tu sais ça ! Mais elle n'a pas encore ouvert la bouche, ta princesse !

— Puisque je te dis que nous nous sommes parlés ! Au palais de Massora, le roi a offert à un membre de sa famille de l'accompagner. Il a pris cinq pailles : une pour sa femme, la reine ; une pour Éolia ; une pour Frédérik, son jeune frère ; une pour le prince Henri ; une pour la princesse Sophie.

— La courte paille ! ironisa Simon, sceptique. Alors écoute, faisons un pari. Si ce que tu prétends est vrai, je m'engage à trouver une histoire à raconter à maman pour expliquer notre escapade à l'aéroport. Mais si tu mens, tu devras en inventer une et la lui dire tout seul.

— D'accord ! Mais alors...

Benjamin se pencha à l'oreille de son frère et ajouta quelque chose à mi-voix.

— Pari tenu ! rétorqua Simon.

Benjamin gloussa, puis dit :

— Éolia a tiré la bonne paille. Tiens, écoute...

Sur l'écran, après avoir interrogé le roi, le présentateur se tournait justement vers la jeune princesse.

— Votre Altesse, on dit que vous avez gagné ce voyage en tirant à la courte paille. Est-ce vrai ?

— C'est la vérité, acquiesça Éolia.

Simon avait l'impression de rêver. Benjamin ajouta :

— Tu voulais savoir notre secret, à Éolia et moi ! Eh bien, sache que je l'ai invitée à Montréal pour une occasion très spéciale.

— Toi, tu l'as invitée au Québec !

— Parfaitement.

La fillette regardait maintenant la caméra bien en face. Un instant, Benjamin crut qu'elle s'adressait à eux à travers l'écran du téléviseur.

— Attention ! Elle va nous faire un clin d'œil, le prévint Benjamin tandis que leur mère tapait du pied d'impatience dans la cuisine.

— Un clin d'œil ?

— Oui. C'est le signal convenu.

Quand la princesse leur décocha bel et bien cet étonnant clin d'œil, Simon n'eut plus de doute. Non seulement il avait perdu le pari qu'il avait fait avec son jeune frère, mais en plus il allait, comme promis, devoir lui acheter ce jeu vidéo dont il lui rebattait les oreilles depuis des mois !

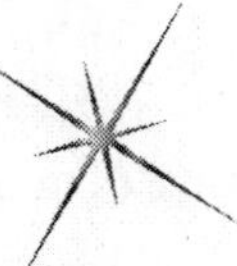

Le même soir, après avoir soupé avec son grand-père, l'ambassadeur de Nénucie au Canada et le consul installé à Montréal, Éolia prétendit être très fatiguée. De mauvaise humeur à cause d'un terrible mal de tête consécutif à ce qu'elle appelait « un air glacial venu de Sibérie », Madame Étiquette fut soulagée de raccompagner la fillette jusqu'à sa chambre.

Juste avant de border Éolia, la gouvernante la couva du regard. Elle était fière de sa petite princesse. Fière de l'avoir vue monter sur l'estrade aux côtés de son grand-père. Fière, aussi, de l'avoir entendue répondre poliment et sans la moindre gêne aux questions des journalistes. Elle avait cependant remarqué l'agitation qui, un moment, avait gagné l'estrade. Un jeune garçon avait tendu un message à Allan, qui l'avait par la suite remis à Éolia.

Quelle est encore cette diablerie ? se demanda la gouvernante en se sentant prise de vertige.

Avant que leur avion quitte le sol de Nénucie, la mère d'Éolia, la princesse Sophie, avait confié à la comtesse une tâche sacrée :

« Empêchez-la de faire des bêtises... »

C'était sa mission depuis que la fillette était bébé, et elle entendait bien se montrer à la hauteur de la confiance qu'on lui témoignait.

Je suis une noble, moi aussi, se dit-elle. *Une La Férinière ne se dérobe jamais !*

Ce soir, il était encore trop tôt pour éclaircir cette affaire de billet clandestin. Mais dès le lendemain, elle entendait découvrir ce qui se tramait dans la jolie tête blonde de sa protégée.

Au moment où elle quittait la chambre, la princesse la rappela.

— Oui, Votre Altesse ?

— La Sibérie, Madame Étiquette, c'est au-dessus de la Russie, pas du Canada ! Le vent froid dont vous parliez vient plutôt de la baie James.

La gouvernante fit une vilaine grimace en réalisant qu'on lui donnait une leçon de géographie. Elle se reprit, esquissa un sourire forcé puis se retira.

N'empêche, je vous tiens à l'œil...

Après le départ de sa gouvernante, Éolia ralluma sa lampe de chevet. Elle tâtonna sous son grand lit à baldaquin et trouva la valise que Monsieur X avait promis de faire livrer à la villa.

Fait de cuir noir, le bagage était renforcé sur les extrémités par des pièces en métal. La petite clé en or glissa toute seule dans la serrure. Éolia ouvrit le rabat et débarrassa ses poupées de leur pellicule plastique de protection. Puis elle prit Paloma.

J'espère qu'elle n'a pas été blessée dans sa chute!

Avant de s'apprêter à rêver à nouveau, elle chercha dans son petit sac de cuir mauve le message que Benjamin Michaud avait remis à son garde du corps. En le dépliant, elle pensa à la façon particulière dont elle avait entendu parler de ce jeune Québécois. Benjamin l'avait étonnée en lui révélant qu'il venait de fonder le premier Fan Club des amis et amies d'Éolia au Canada.

La fillette savait qu'il existait des fans club à son nom dans presque tous les pays francophones du monde. Rien qu'en France, il en existait neuf! Mais, Benjamin avait raison: au Québec, c'était le premier.

Prenant une grande respiration, elle lut :

> Ma chère Éolia,
>
> Je savais que tu trouverais un moyen de venir au Québec avec ton grand-père. De mon côté, j'ai eu du mal à convaincre ma tante. Mais elle te regardera à la télé, ce soir, et après elle me croira.. Tout sera organisé pour que notre grand projet fonctionne. J'ai très hâte de te rencontrer en personne. À mercredi.
>
> Amicalement,
>
> Benjamin

Éolia sourit.

Ce Benjamin savait décidément ce qu'il voulait, et elle aimait ça.

— Maintenant, dit-elle à Paloma, il va falloir qu'on retourne dans le monde des rêves pour en apprendre davantage sur ce drôle de bonhomme qui lance des livres à la tête des gens !

3

Trafic sur la rue Sainte-Catherine

Éolia se réveilla de mauvaise humeur. Non seulement elle n'avait fait aucun rêve, mais il était cinq heures et elle se sentait toute confuse dans sa tête. Quelle heure était-il en Nénucie? Sachant qu'il y avait six heures de décalage entre le Québec et son petit royaume, elle fit un rapide calcul. Pour Frédérik, son frère, ou pour Mélanie, sa meilleure amie, il devait être... onze heures.

Puisque c'était mardi matin, elle les imagina à l'école. Dans sa classe, Monsieur Lastuce faisait la leçon sans elle. Son pupitre était vide. Ses camarades savaient – car tous les journaux en avaient parlé – que la princesse était en voyage d'État avec le roi.

Quel est le programme de la journée ?

Madame Étiquette lui avait dit, hier soir, qu'elle viendrait la réveiller pour lui en parler.

Éolia sourit en songeant que tout le monde, dans la villa de brique, devait encore dormir. Elle passa sa robe de chambre, se leva et tressaillit en sentant le plancher glacé sous ses pieds.

Sa poupée magique, qu'elle avait placée la veille sur une chaise en bois à côté de son lit, la dévisageait avec ses yeux en billes de verre.

Paloma est-elle vexée parce qu'on n'a pas rêvé, cette nuit ? Ou bien est-ce moi qui me l'imagine ?

Pendant une seconde, elle crut que si elle n'avait pas rêvé durant la nuit, c'était parce que Paloma s'était fait mal en tombant des nuages. Puis elle haussa les épaules. Comme elle pendant ses rêves, ses poupées devaient être immortelles !

Les murs de sa chambre, pourtant faits de boiseries anciennes, lui apparurent soudain froids et étrangers. Ses yeux se posèrent sur la petite cheminée en brique. Elle se sentit tout de suite mieux. Avant son départ, Éolia avait insisté pour avoir une cheminée dans sa chambre, à Montréal. Devant un tel caprice, Madame Étiquette avait levé les bras au ciel, puis elle était devenue rouge d'indignation quand la fillette n'avait pas voulu lui en expliquer la raison. Heureusement, le roi savait que la princesse voyageait dans le monde des rêves grâce à la cheminée magique de sa chambre, au palais. Il avait donc accédé à sa demande sans aucun problème.

Les cheminées ne sont peut-être pas toutes magiques. Si celle-ci ne l'est pas, comment vais-je récolter les indices pour ma nouvelle mission ?

Le majordome du consulat, un Québécois qui parlait un peu comme les campagnards de Nénucie, lui avait expliqué que cette demeure, construite en 1826, avait longtemps appartenu à un bourgeois anglais. Elle avait ensuite été rachetée et réaménagée par la couronne de Nénucie.

Comme pour en vérifier l'authenticité, Éolia posa sa main à plat sur le mur, à côté d'une étroite fenêtre.

Cette maison a connu beaucoup de monde, se dit-elle en imaginant, par-delà la froideur du bois, la chaleur de ceux qui avaient autrefois vécu là.

Monsieur Gelais, le majordome, lui avait tout de suite semblé sympathique. Il avait le teint rouge, des yeux brun clair, une fine barbe couleur poil de carotte et un gros ventre qu'il cachait sous un gilet en laine. Sachant qu'au palais royal la fillette buvait toujours une tisane avec un soupçon de citron avant de se coucher, il lui avait proposé une boisson typiquement québécoise : de l'eau chaude, de la limette et du sirop d'érable, boisson qu'elle avait trouvée délicieuse. Éolia avait vite compris qu'elle pourrait en apprendre plus sur le Québec en parlant avec le majordome qu'en lisant un livre en entier.

La veille au soir, excitée par le message de Benjamin, elle n'avait pas eu le temps d'observer les lieux. Elle ouvrit les rideaux et sourit. Comme son palais royal de Massora, les nombreux arbres plantés autour de la villa consulaire faisaient oublier que la ville, tentaculaire, s'étendait tout autour du petit parc préservé des curieux par des hauts murs.

Éolia fouilla dans un de ses sacs puis revint s'asseoir sur son lit. Elle déplia la carte que lui avait donnée Monsieur X. Avec un stylo-feutre, elle pointa le quartier où était situé le consulat : en dessous de la grande rue Sainte- Catherine, tout près du boulevard René-Lévesque. Elle se rappela ce que lui avait dit son grand-père dans l'avion.

« En Amérique du Nord, Lia, les villes sont souvent divisées en deux, du sud au nord ou d'ouest en est. Par exemple, à Montréal, le boulevard Saint-Laurent traverse la ville du nord au sud et mesure plus de dix kilomètres de long. »

Éolia encercla le pâté de maisons et remarqua que la villa n'était pas très éloignée du Centre canadien d'architecture situé sur le boulevard René-Lévesque. Madame Étiquette avait fait sa propre enquête. Elle prétendait qu'il aurait été plus prestigieux, pour le royaume de Nénucie, que le consulat soit situé à Westmount, sur le mont Royal lui-même.

Il était trop tard, maintenant, pour se rendormir, et trop tôt pour aller se balader dans Montréal. Croyant que tout le monde sommeillait, la jeune princesse décida de visiter la maison. Avant de replier sa carte, elle encercla deux autres endroits : un point situé dans le quartier Côte-des-Neiges, ainsi qu'un grand carré placé en plein centre-ville.

En sortant de sa chambre, Éolia fut étonnée de se trouver nez à nez avec un agent de sécurité qui lui demanda poliment de retourner se coucher. Frustrée de ne pas savoir si, comme dans le palais royal, cette maison contenait des passages secrets par lesquels elle pourrait s'échapper, elle obéit de mauvaise grâce.

Quelques heures plus tard, chaudement vêtue, car la température avoisinait le zéro degré, Éolia était assise dans l'une des limousines du consulat.

— Quelle agitation ! s'exclama Madame Étiquette en observant les passants qui déambulaient le long des trottoirs.

— Nous sommes sur la rue Sainte-Catherine, expliqua le colonel. L'équivalent, en quelque sorte, de l'avenue de Nénucie, notre grande artère commerciale.

Le visage collé sur la vitre, Éolia s'étirait le cou pour essayer d'apercevoir le sommet des gratte-ciel. Il n'était que neuf heures quarante-cinq et les trottoirs étaient effectivement déjà bondés de passants. Des centaines d'enseignes de toutes les couleurs étincelaient dans le matin encore grisâtre. À cette hauteur, la rue était un sens unique d'ouest en est, remplie de camions de livraisons et de voitures.

En remarquant de drôles de poteaux noir et bleu montés sur pattes comme des autruches, la princesse s'étonna.

— Ce sont des parcomètres électroniques, lui apprit Monsieur X.

D'ordinaire, il était affecté à la sécurité du roi. Mais celui-ci, connaissant les liens d'amitié qui l'unissait à Éolia, lui avait expressément demandé de veiller sur la jeune princesse. Cela déplaisait à la gouvernante royale, qui n'aimait pas le genre supérieur et arrogant de cet homme énigmatique.

La limousine s'immobilisa à un feu rouge. Éolia aperçut, sur sa gauche, un vieux bâtiment de plusieurs étages qui devait avoir une centaine d'années. Sur ses vitres avait été placée une grande enseigne rouge en forme de livre ouvert. Comprenant qu'il s'agissait d'une librairie, elle eut envie d'y entrer.

Elle se pencha vers le chauffeur et lui dit :

— Pouvez-vous vous arrêter quelques minutes, s'il vous plaît ?

Madame Étiquette faillit s'étouffer d'indignation.

— Mais, Altesse, vous n'y pensez pas ! Ce quartier est plein de..., de..., dit-elle en dévisageant un jeune homme au crâne rasé portant des boucles d'oreilles sur les lèvres et dans les sourcils.

— Princesse, intervint le colonel afin de raisonner Éolia.

Mais elle avait déjà ouvert la portière.

— Quel scandale ! Non mais quel scandale !

Sans égards pour la comtesse qui paniquait, le colonel se précipita sur le trottoir à la suite de la fillette.

— Éteignez le moteur et attendez! ordonna Madame Étiquette au chauffeur éberlué, tandis que les automobilistes se mettaient à klaxonner.

La gouvernante était de très mauvaise humeur. Elle avait mal dormi, son chignon était noué de travers et la peau de son front était encore plus ridée que d'habitude.

Honteuse de n'avoir rien pu faire pour retenir cette petite sotte d'Éolia, elle vérifia si la voiture des agents de la gendarmerie royale affectée à leur sécurité se trouvait toujours derrière eux.

Son émetteur-récepteur à la main, le colonel franchit la porte tournante de la librairie sous l'œil blasé d'une vieille mendiante assise contre la vitrine, un verre de café à la main. Sans doute attendait-elle quelques pièces de ce bel homme au teint mat et aux yeux flamboyants, mais l'officier était trop pressé pour lui faire la charité.

Le colonel avisa un employé et lui fit une brève description de la princesse. D'abord décontenancé de se faire répondre en anglais, Monsieur X comprit que le jeune homme lui désignait le département des livres en français, situé au fond du magasin.

Heureusement, la section francophone, avec ses tables pleines de livres et ses étagères colorées, n'était pas très occupée. Habitué à analyser l'espace autour de lui, le colonel repéra immédiatement le responsable, la princesse, ainsi que trois clients. Une dame âgée s'appuyant sur une canne, un homme vêtu d'un manteau de cuir et de lunettes noires, et un autre, barbu, qui semblait nerveux.

Comme ce dernier se rapprochait de la princesse, le colonel pressa le pas. L'homme barbu bifurqua sur la gauche et longea le mur des romans. Lui et Éolia se retrouvèrent face à face.

Monsieur X retint son souffle. L'homme barbu traînait derrière lui cette aura de mystère que possèdent souvent les personnes potentiellement dangereuses. Que faire? Tirer son arme de son étui? S'interposer entre l'inconnu et la princesse?

Ne voulant pas risquer un incident diplomatique dès leur première journée au Québec, le colonel dépassa le client. Puis, se retournant, il le fixa droit dans les yeux afin de lui lancer une mise en garde silencieuse.

Les deux hommes se tinrent à quelques pas de distance, ce qui permit au colonel de noter quelques détails sur sa physionomie. Sentant qu'un malaise s'installait, le barbu fit demi-tour, non sans avoir jeté un regard perçant en direction de la jeune princesse.

Soulagé, le colonel vint retrouver Éolia. Sachant qu'elle risquait de se faire gronder, la fillette prit le parti de sourire à son ami officier. Se plantant devant elle, le colonel se pencha et lui murmura d'une voix sévère :

— Altesse, nous ne sommes pas à Massora, ici. Vous avez eu tort de descendre de la voiture.

Il cligna des paupières, la fixa de plus près.

— Vous êtes toute pâle. Êtes-vous certaine que tout va bien ?

Le sourire d'Éolia se changea en grimace. Monsieur X avait l'air tellement inquiet qu'elle résolut de tout lui dire. Assis devant son ordinateur, le libraire tendait le cou vers eux. Elle se rapprocha et répondit au colonel sur le ton du secret :

— J'ai fait un nouveau rêve enquête, colonel...

L'officier savait que les rêves de la princesse n'étaient pas des rêves ordinaires. Par le passé, ils s'étaient révélés si utiles, pour résoudre des enquêtes compliquées, que même lui en était resté confondu.

Préférant couper l'épisode de la tasse de chocolat chaud en plein ciel, elle reprit :

— Dans l'avion, juste avant d'atterrir, j'ai vu cet homme.

— Le barbu ?

— Oui.

L'officier se retourna. Le client en question n'était pas sorti du magasin. Il faisait semblant de feuilleter un livre, à l'autre bout de l'allée.

— Et alors ?

— Alors, on m'a dit que cet homme manigançait quelque chose. En voyant cette librairie, tout à l'heure, j'ai senti qu'il fallait que j'y entre. Pas dans deux heures, pas demain, mais tout de suite. Vous comprenez ?

Comme le colonel n'avait pas l'air de saisir et que, de son côté, elle n'avait pu trouver le livre que l'homme de son rêve avait fait tomber sur leur table de café, la princesse soupira.

— Il faut le faire surveiller, Monsieur X, c'est important !

Le colonel s'imaginait mal demandant aux agents de la gendarmerie royale attachés à leur sécurité de surveiller un suspect sous prétexte que la jeune princesse l'avait vu... dans un rêve !

Soudain, le libraire les aborda, un sourire au bord des lèvres.

— Non, désolé, vous ne pouvez pas nous aider, déclara l'officier. D'ailleurs, nous partons !

Prenant d'autorité la princesse par le bras, il l'entraîna dehors. Madame Étiquette, deux agents de la gendarmerie royale en civil, ainsi que la longue limousine les attendaient.

— Votre Altesse ! s'écria la gouvernante, votre conduite est inadmissible ! Et je...

— Tous dans la limousine ! ordonna le colonel en poussant Éolia dans le véhicule.

— Mais..., poursuivit la comtesse, entraînée sans ménagement par l'officier.

Madame Étiquette vit ensuite le colonel en grande discussion avec les deux agents de la gendarmerie royale. Sans doute devait-il s'excuser pour cette « bavure », car un concert de klaxons ameutait tout le quartier.

Faisant volte-face, elle s'adressa à la fillette d'un ton pincé :

— Maintenant, expliquez-moi... ça !

Éolia s'attendait à devoir justifier sa conduite à la vieille comtesse, une fois encore – mais sans mentionner son rêve. Au lieu de cela, elle considéra, ahurie, la page de journal que la gouvernante lui tendait.

— « La princesse Éolia officiellement invitée à participer au Salon du livre de Montréal », lut-elle, déconcertée.

— Qu'est-ce que cette nouvelle folie, Altesse ? s'indigna la gouvernante tandis que le colonel montait dans la limousine.

— Démarrez ! intima-t-il au chauffeur.

Puis, sentant le malaise qui régnait dans l'habitacle, il fronça les sourcils et gronda :

— Qu'y a-t-il, encore ?

Madame Étiquette se fit un plaisir de lui montrer l'article.

Pour couronner le tout, un flash de lumière aveuglant les fit cligner des yeux.

Se tournant vers la vitre, côté trottoir, Éolia et le colonel aperçurent Ernest Dagota, son appareil numérique devant le visage. Exhibant, lui aussi, le journal dans lequel se trouvait l'article avec une photo de la princesse à l'appui, il souriait méchamment...

4

Des lettres grandes comme des portes

Éolia s'arrêta de courir et contempla le livre géant, debout et légèrement ouvert, devant lequel elle se tenait. Étaitelle entrée dans la cheminée de sa chambre au consulat ? Elle ne s'en souvenait plus. L'important était l'homme barbu de la librairie, dont elle suivait la trace jusque dans ses rêves.

— Il est entré dans le livre, j'en suis sûre ! déclara Zofie, sa poupée hongroise du mardi soir.

Elle était aussi blonde et coquette que Paloma était brune et énergique.

— Lia ! Si on ne se dépêche pas, il risque de s'échapper !

— Tu as raison, excuse-moi !

Comment Zofie savait-elle que Paloma et la fillette avaient rencontré un curieux personnage dans leur rêve de lundi après-midi, à bord de l'avion royal ?

Cette communication entre mes poupées m'épatera toujours !

La princesse s'approcha de la tranche de l'énorme livre qui devait mesurer six mètres de haut. Levant les yeux, elle essaya de lire son titre. Comme c'était impossible, elle lâcha la main de Zofie et toucha le papier rugueux.

— Voilà une porte ! s'exclama la jeune princesse.

La poupée magique haussa les épaules, l'air de dire : « Bien sûr que c'est une porte ! Dépêchons-nous d'entrer avant qu'elle se referme ! »

La page était bel et bien une porte. L'instant d'après, elles se retrouvèrent dans une pièce immense, blanche et noire. Le plancher était entièrement recouvert de lettres imprimées.

— J'ai le nez qui pique ! se plaignit Zofie en ouvrant les yeux tout grands.

— C'est à cause de l'odeur du vieux papier, expliqua Éolia.

Ignorant dans quel livre elles se trouvaient, elles avancèrent prudemment. Les lettres tapissaient le sol, mais également les murs et le plafond.

Persuadée que les lettres peintes sur le sol avaient une grande importance, Éolia s'agenouilla et tenta de les rassembler en mots. Zofie clignait des yeux, incommodée par la trop vive luminosité. Soudain, elle entendit une porte grincer.

— Lia ! Par ici !

— Attends un peu que...

La princesse suivait une ligne et était en train de lire une phrase entière : « L'homme au blouson de cuir noir et à la fausse barbe tient entre ses mains un... »

Elles entendirent un second grincement. En se retournant, la fillette aperçut un homme petit aux cheveux courts et noirs. Elle reconnut sa figure ronde et ses yeux légèrement globuleux.

— Dagota !

— Le photographe qui t'embête tout le temps !

— Il nous a suivis au Québec. C'est un vrai pot de colle.

Le paparazzi avait l'air surpris de marcher à l'intérieur d'un livre. En reconnaissant la jeune princesse de Nénucie, ses grosses babines s'amollirent. Puis, soupçonnant qu'elle préparait un mauvais coup, ses yeux se mirent à briller. Il prit l'appareil numérique qui pendait à son cou. Éolia poussa Zofie contre une des parois de la pièce, sur laquelle était peinte un énorme *A* majuscule.

— Fuyons par là ! Je ne veux pas que les journaux annoncent, demain matin, que la princesse de Nénucie marche dans des livres bizarres et qu'elle parle à une poupée !

Zofie prit un air vexée. Elle n'était pas qu'une simple poupée. Elle était magique, ce n'était pas rien ! Et en mission spéciale, en plus ! Pour prouver sa valeur, elle ajouta, sans rancœur :

— Regarde, Lia ! Sous la barre du *A*...

— C'est une porte !

Elles se faufilèrent sous la barre du *A*. Frustré de n'avoir pas eu le temps de prendre sa photo, le paparazzi se précipita à leur poursuite. À l'instant où il allait toucher la minuscule poignée, celle-ci se changea en une virgule gluante d'encre noire.

— Beurk! fit Ernest Dagota en grimaçant de dégoût.

La seconde pièce du grand livre bizarre était peinte en noir.

— On se croirait dans un four, commenta Zofie, qui commençait à avoir chaud sous son ample robe de bal hongroise des années mille huit cent quatre-vingt.

— Attends, on dirait que...

Au loin brillait une petite lumière orangée. Elles s'approchèrent en sautillant comme des lièvres.

— Écoute!

L'homme barbu de la librairie tournait autour de ce qui ressemblait à une statue. Lorsqu'il s'aperçut qu'il avait été suivi, il jura entre ses dents dans une langue gutturale qu'Éolia ne connaissait pas. La fillette et sa poupée entendirent un autre grincement de porte. L'instant d'après, l'étranger avait de nouveau disparu.

En arrivant à l'endroit où il se tenait, la princesse buta contre quelque chose de dur. Zofie se baissa et lui tendit un livre qui traînait sur le sol.

Malgré la lueur orangée, il faisait sombre. La fillette approcha le livre de son visage.

— Est-ce celui qui est tombé sur votre table volante, hier? s'enquit Zofie.

— Je l'ignore. Il n'a pas de titre.

Déçue, la poupée leva les yeux sur la grande sculpture qui semblait presque vivante.

— Wow! s'exclama-t-elle.

Elles reculèrent, puis en firent le tour.

— Cet homme doit mesurer au moins deux mètres de haut. Regarde! Son maillot de corps a l'air à moitié enlevé, lui dit Zofie.

— Hum... Cette statue me rappelle quelque chose, répondit Éolia.

L'homme sculpté avait les cheveux bouclés. Son bras gauche était levé au-dessus de sa tête, sa main droite reposait sur sa poitrine. La tête penchée sur le côté, il avait l'air de dormir.

— Il doit avoir un sacré torticolis! fit remarquer Zofie en pouffant de rire.

Éolia était concentrée. Ce rêve avait sûrement une importante signification. Mais laquelle?

Un bruit de pas précipités retentit. Une porte grinça en s'ouvrant. Éolia vit la face suspicieuse du paparazzi, puis elle entendit un grognement de bête sauvage.

— Au secours! hurla une voix.

— Encore ce Dagota de malheur! ragea la princesse, prête à changer de page une fois de plus.

Une vive clarté envahit la pièce de la statue. Surprise, Éolia cligna des paupières. Lorsqu'elle rouvrit les yeux, elle ne put s'empêcher d'éclater de rire. Poursuivie par un gros ours brun, Madame Étiquette courait comme une folle en levant les bras au ciel et en criant à l'ours qu'elle n'était pas une tartine au miel!

Derrière l'ours, Éolia aperçut son ami l'Ambassadeur de lumière, son verre de lait à la framboise à la main, qui lui adressait un petit signe de connivence.

Éolia riait toujours quand, à minuit quatorze très exactement, elle s'éveilla de ce drôle de rêve.

Voulant être certaine de ne rien oublier, elle nota le déroulement exact de cette aventure dans son journal de rêves. Puis, trop énervée pour se rendormir, elle se leva et alla fouiller dans une de ses grosses valises. Elle en sortit son ordinateur portable, le brancha au mur et l'ouvrit.

Quelle était cette statue?

Existait-elle réellement ou bien n'était-elle, comme le livre géant, qu'une invention de ce que le colonel appelait son «subconscient»?

Elle se brancha sur Internet. Au moyen de son serveur, elle se connecta au puissant système de recherche utilisé, en Nénucie, par les services secrets du roi. Elle entra tous les détails dont elle se souvenait au sujet de la statue, et attendit patiemment que l'ordinateur lui soumette des réponses.

Au bout de quelques secondes, plusieurs photos de statues réelles s'affichèrent sur son écran. Elle les observa une à une, effaça les cinq premières. Soudain, en arrivant à la sixième, elle entendit son cœur battre plus vite. La statue était de Michel-Ange, un célèbre artiste de la Renaissance.

Elle ressemble à ma statue, mais...

Intitulée *Esclave rebelle*, cette œuvre semblait être la cousine de celle que la fillette venait de voir dans son rêve.

Intriguée, Éolia tapa les lettres formant le nom complet de l'artiste. Une quinzaine d'autres photos apparurent aussitôt. Reconnaissant enfin la bonne image, elle lut la légende:

«*Esclave mourant*, 1513-1516. Avec son pendant, intitulé *Esclave rebelle*, ces deux statues, actuellement exposées au musée du Louvre, étaient primitivement destinées au tombeau du pape Jules II. »

Décontenancée, la jeune princesse se rassit sur son lit. S'adressant à Zofie, elle lui demanda :

— Quel rapport cet *Esclave mourant* peut-il bien avoir avec l'homme qui a jeté son livre sur la table volante de mon premier rêve ?

Incapable, avec ces quelques indices, de comprendre quelles étaient les intentions de l'homme barbu, Éolia se laissa tomber tête la première dans ses oreillers. Zofie, qui n'était plus qu'une poupée de collection ordinaire, ne lui répondait pas. Alors, la fillette décida de se concentrer sur la journée à venir.

Je vais enfin rencontrer Benjamin, se dit-elle en souriant à demi.

Ce garçon québécois avait-il un lien avec la mission que lui avait confiée l'Ambassadeur de lumière ? Ne sachant quoi penser, Éolia décida de laisser les événements venir à elle...

Le lendemain matin, elle fut tout étonnée de voir le colonel entrer dans sa chambre. La veille, il ne lui avait posé aucune question sur son invitation au Salon du livre de Montréal.

— Où est la comtesse? s'enquit Éolia, perplexe.

Le colonel se retenait à peine de rire. Dans un flash, la fillette revit sa gouvernante poursuivie par l'ours de son rêve.

Il vient peut-être m'annoncer qu'elle a été dévorée par l'ours qui la prenait pour une tartine au miel!

— Elle a fait de la fièvre, cette nuit. Elle ne pourra pas nous accompagner, aujourd'hui.

L'officier souriait car si Madame Étiquette ne l'aimait pas, il la trouvait quant à lui snob, bornée et ennuyeuse à mourir.

Devait-il révéler à la petite princesse qu'un des domestiques du consulat avait entendu, en pleine nuit, la comtesse crier qu'elle était poursuivie par un monstre velu?

Quoi qu'il en soit, ce malaise, imaginaire ou non, faisait bien l'affaire du colonel. Comme la princesse souriait également, il en conclut qu'elle était aussi soulagée que lui.

Il se trompait.

Si la princesse souriait, c'était parce qu'elle se rappelait son rêve.

C'est pour me permettre d'être à l'heure à mon rendez-vous avec Benjamin, que l'Ambassadeur s'est arrangé pour que Madame Étiquette soit un peu malade.

Persuadée que ce deuxième rêve était étroitement lié à sa nouvelle mission, la princesse prit la main du colonel.

Soupçonnant de nouveaux caprices à venir, le colonel énonça le programme officiel de la journée :

— D'abord, nous irons faire des courses dans le Vieux-Montréal. Puis, nous déjeunerons à midi dans ce que les Montréalais appellent la ville souterraine. Ensuite, si la tempête de neige annoncée par les médias n'arrive pas avant demain comme prévu, nous nous rendrons sur la Rive-Nord. Le roi tient à ce que vous visitiez un grand centre commercial. Il a choisi pour vous le Carrefour, sur l'île de Laval.

Même si ce centre commercial l'intéressait vraiment, avec ses devantures de magasins ressemblant à de vraies maisons, Éolia n'écoutait Monsieur X que d'une oreille distraite.

Le colonel, bien que soucieux de laisser la sécurité du roi à ses coéquipiers, avait l'air heureux.

Il le serait moins s'il savait ce que l'on va réellement faire cet après-midi, se dit Éolia qui avait, de son côté, des projets bien différents...

5

Cent cinquante tonnes de livres

Après avoir marché, rue de la Commune, sur de vieux pavés, ils entrèrent dans la ville souterraine où ils dégustèrent une pointe de pizza. Éolia savait, pour avoir étudié la carte, que cette ville sous la ville où se trouvaient des magasins et des foires alimentaires permettait aux citadins d'aller et de venir dans un périmètre de plusieurs kilomètres carrés sans jamais avoir à sortir dehors. Ce qui était très pratique, l'hiver, quand le thermomètre indiquait moins vingt ou même moins trente degrés.

— Monsieur X, il ne faut pas que vous m'en vouliez, le prévint la fillette, mais j'ai un rendez-vous.

— Quoi ? s'étonna le colonel.

— Je sais où aller, lui assura la fillette.

— Encore vos rêves ? s'enquit Monsieur X en levant un sourcil frémissant.

Puis il lui demanda de l'attendre une minute, le temps d'avertir les gardes du corps qui couvraient leur visite dans la ville souterraine.

Il sortit son émetteur-récepteur.

— Nous ne regagnons pas la voiture tout de suite, dit-il en attendant la réponse de l'agent. Non, nous ne partons pas pour Laval, nous continuons dans la ville souterraine. Nous allons vers l'est. Escalier roulant en direction de... de la station de métro Bonaventure.

Il espérait que les agents de la gendarmerie royale les rejoindraient. Quand il rangea son appareil, il s'aperçut avec horreur qu'Éolia n'était plus à côté de lui.

— Par la barbe du roi ! s'exclama le colonel, vexé. Princesse ! Princesse Éolia ! appela-t-il, les traits crispés de colère et d'inquiétude.

Des dizaines de citadins le dévisagèrent avec curiosité. Il se reprit, moins fort, en fouillant la foule des yeux à la recherche d'une fillette portant un jeans et un anorak mauve.

— Éolia, Éolia !

Abordant tour à tour une vieille dame un peu sourde, puis un musicien qui faisait affreusement grincer les cordes de son violon, l'officier les interrogea sur un ton péremptoire, en vain.

Le colonel dégringola trois escaliers roulants, en remonta deux autres. Son cœur battait la chamade. S'il avait eu froid, dehors, la sueur collait maintenant sa chemise sur sa peau. À bout de ressources, il s'adressa à un policier.

— Venez avec nous, monsieur, lui répondit l'agent. Nous allons prendre votre déposition.

En se rappelant l'article de journal qui prétendait que la princesse était invitée au Salon du livre, et se rendant compte que la Place-Bonaventure était à deux pas, le colonel dit à l'agent de laisser tomber. Puis il traversa une espèce de patinoire intérieure au milieu de laquelle une équipe d'entretien montait un immense sapin de Noël. Cherchant sur les panneaux indicateurs la direction des salles d'expositions, il s'engouffra de nouveau dans les corridors du métro.

— Une fillette blonde courant comme un lapin ? Oui, lui répondit un jeune homme dépenaillé aux cheveux verts en forme d'épi qui portait deux anneaux dans le nez et une cigarette éteinte sur chaque oreille. Elle m'a demandé où se trouvait le Salon du livre.

Dans un geste machinal, le colonel écarta le pan de sa veste et posa sa main sur sa hanche gauche. Il ne s'en aperçut pas, mais ce mouvement dégagea l'étui contenant son 9 millimètres de fonction. En voyant l'arme, le jeune punk prit peur, fit volte-face et s'enfuit en courant.

Étonné par la réaction du jeune homme, Monsieur X réfléchit à la situation. Éolia se trouvait au Salon du livre et devait prendre contact avec quelqu'un. Mais avec qui ? Et pourquoi ne lui avait-elle rien dit ?

Honteux d'avoir perdu la princesse de vue, le colonel pénétra dans un grand vestibule souterrain où des gens portaient des boîtes de différentes grosseurs, des mallettes et des livres sous leurs bras.

Enfin, au loin, il reconnut Éolia qui l'attendait patiemment, adossée à un pilier en béton. Soulagé, il respira plus calmement.

— Altesse ! s'écria-t-il, les yeux brûlants comme des chardons ardents.

Devinant les sentiments de son ami et complice, la fillette prit un air penaud :

— Excusez-moi, Monsieur X, je croyais que vous étiez derrière moi.

Comme l'officier ne cessait de la dévisager, elle vit frémir sa moustache et décida de tout lui avouer.

— En vérité... j'avais peur... que vous m'empêchiez de venir.

— Si vous m'expliquiez, au lieu de vous enfuir comme un feu follet.

Éolia sortit une paire de lunettes d'une des poches de son anorak. Puis elle enleva ce dernier et le rangea dans un sac en coton beige qu'elle avait, au préalable, plié et enroulé sous son tricot autour de sa taille.

— Je dois rencontrer un garçon, chuchota-t-elle.

Monsieur X ne cilla pas. Il attendait la suite.

— C'est très important, ajouta-t-elle en le regardant bien en face.

Le colonel connaissait ce regard si clair, mais embué de mystère.

— Qui est-ce?

Elle se cacha derrière le gros pilier et plaça sur sa tête blonde une perruque brune.

— Un ami. Je l'ai rencontré dans un rêve avant de quitter la Nénucie.

Elle le supplia:

— Je dois absolument le rencontrer aujourd'hui... dans cinq minutes très exactement.

Reconnaissant également ce ton faussement plaintif, le colonel alluma son émetteur-récepteur et prévint les membres de leur escorte. Puis, curieux d'assister à cette rencontre secrète, il accompagna la princesse le long des escaliers qui menaient au plus important hall d'exposition de la ville de Montréal.

Ernest Dagota suivait discrètement Éolia et le colonel depuis leur sortie de la foire alimentaire. Il avait perdu la princesse de vue à peu près au même moment que l'officier. Il crut les retrouver lorsque, ayant suivi les porteurs de livres dans le hall d'accès de la Place-Bonaventure, il aperçut le colonel en grande discussion avec une fillette... brune!

Il s'arrêta à une vingtaine de pas, et, pour ne pas éveiller leur soupçon, feignit de chercher un livre dans son fourre-tout.

Que pouvaient-ils bien se dire? L'officier de la garde conversait-il avec cette inconnue pour retrouver la princesse? Ou bien... Flairant un mauvais coup, il décida de les suivre à l'intérieur du hall d'exposition.

Dans un flash, Ernest Dagota se rappela soudain quelques images de son rêve. Il poursuivait la princesse pour la prendre en photo, quand un ours en colère était apparu derrière lui. Pour éviter la bête, il s'était rabattu contre le mur d'une pièce étrange, blanche et noire comme un damier. Quelle n'avait pas été sa surprise en constatant que le monstre s'était mis à courir après la comtesse de La Férinière!

Chassant ce mauvais rêve de sa mémoire, le paparazzi se concentra sur la réalité. Il était certain qu'en suivant la petite princesse comme son ombre, il finirait par tomber sur une primeur. Dans ce but, il s'était renseigné auprès d'un employé de la Place-Bonaventure. Le Salon du livre n'ouvrait officiellement ses portes que le lendemain. Aujourd'hui, mercredi, se déroulait ce que l'employé avait appelé « le montage ».

Dagota craignait que des agents de sécurité ne lui interdisent l'entrée. Aussi observa-t-il pendant quelques minutes le va-et-vient des employés travaillant soit pour des maisons de distribution, soit pour des maisons d'éditions. Ceux-ci montaient les escaliers et pénétraient dans le grand hall par une des deux entrées principales.

Prenant son courage à deux mains, Ernest Dagota aborda une femme lourdement chargée de boîtes qu'elle traînait sur une sorte de mini chariot, et lui proposa son aide.

— S'il vous plaît, implora Éolia, suivez-moi, mais à distance. Je dois le rencontrer seule...

Que d'intrigues et de mystères ! Mais le colonel le savait, pour Éolia, tout était secret, et, comme elle le disait, hyper-important.

De loin, il la vit rejoindre un garçon qui semblait attendre sur les marches du grand escalier menant au hall d'exposition. Tendant l'oreille, il perçut la rumeur de centaines de travailleurs qui s'affairaient. À quoi, exactement ? Il était sur le point de le découvrir, car il n'était pas question qu'il perde encore la princesse de vue.

Incident diplomatique à Montréal.

Cette manchette de journal imaginaire s'imprima en lettres de feu dans son esprit. Si la princesse faisait des bêtises, il en serait personnellement tenu responsable. Mais il connaissait son métier. De plus, en cas de problème, les quatre agents de la gendarmerie royale, à qui il avait demandé de se mêler aux employés montant le Salon, avaient ordre d'intervenir au moindre danger.

À dix pas, Éolia serrait la main d'un jeune adolescent. *Elle a l'air si vulnérable!* se dit le colonel en traçant mentalement le portrait du garçon : taille moyenne, œil vif, pantalon beige, chandail vert foncé, cheveux bruns, figure forte, oreilles légèrement décollées, sourire béat.

Grâce à ses rêves, Éolia a aidé à démanteler un dangereux trafic de drogue, mis un ministre malhonnête hors d'état de nuire, et fait arrêter un assassin[2]. *Que nous réserve-t-elle, à Montréal?* se demanda le colonel, à la fois curieux et amusé.

Résolu à laisser le plus de liberté possible à la princesse, il gravit à son tour le grand escalier...

Éolia était ravie de rencontrer enfin Benjamin Michaud. Le garçon était

---

2. Voir *Le garçon qui n'existait plus, La forêt invisible, Le prince de la musique*, du même auteur, dans la même collection.

ponctuel, ce qui lui fit tout de suite bonne impression. Il lui avait serré la main timidement, comme s'il avait encore du mal à croire en sa chance. La princesse portait de grosses lunettes et une longue perruque de cheveux bruns, mais c'était bien elle.

Trop gênés pour se lancer dans une grande conversation, ils pénétrèrent dans le hall... et découvrirent une véritable fourmilière !

— Wow ! s'exclama la fillette.

Devant eux s'ouvrait une sorte d'immense agora, au plafond très haut, planté à intervalles réguliers de larges piliers en béton. Le hall était si vaste qu'Éolia n'en distinguait pas la fin. Suspendues au plafond par des câbles, de gigantesques enseignes annonçaient le nom et le logo des maisons d'éditions. Éolia, qui était une dévoreuse de livres, en reconnut certains.

Des centaines de personnes allaient et venaient dans les rues. On pouvait effectivement appeler ces larges allées des rues ou même, des avenues ! Il y avait, aux intersections, des panneaux indicateurs avec des noms comme Place

SALON DU LIVRE

Bell Canada, Place Archambault, Salon des auteurs, ou encore Expo Service.

Un homme de couleur portant un uniforme s'approcha en fronçant les sourcils. Benjamin était un habitué. Il lui montra un porte-nom du salon épinglé sur son tricot.

— Je suis Benjamin Michaud ! dit-il en souriant au gardien.

L'homme, qui connaissait le nom de la directrice du salon, hocha la tête. Ce garçon était-il son fils ?

Benjamin entraîna sans attendre la princesse dans l'allée centrale.

— Regarde, Expo Service n'a pas encore installé les tapis !

Éolia avait remarqué que le sol était en béton gris. À l'extérieur des stands des éditeurs s'entassaient d'énormes caisses hissées sur de grands monte-charges mécaniques. Des hommes apportaient des palettes sur lesquelles étaient empilées des dizaines de boîtes de livres.

— Le Salon du livre de Montréal, c'est la plus grande librairie francophone d'Amérique ! fanfaronna Benjamin.

Habituée à la foire du livre annuelle de Massora, Éolia était très impressionnée, car le Salon du livre de Montréal était au moins quatre fois plus grand. Très excitée, elle décida de ne pas perdre une miette de sa visite.

Dans les stands, des gens de tous âges ouvraient des boîtes, transportaient des piles de livres dans leurs bras, habillaient d'énormes pans de murs d'étagères de livres. Au-dessus de leur tête, des manutentionnaires hissaient d'énormes affiches faisant la promotion de tel auteur ou de tel best-seller.

— Je n'ai jamais vu autant de livres de ma vie ! s'emballa Éolia en entrant dans un vaste kiosque dont les unités promotionnelles, en bois, regorgeaient de romans pour la jeunesse.

Étonnée que personne ne leur pose la moindre question, elle n'osait pas toucher aux livres. Benjamin comprit sa nervosité et sa fascination.

— Comme le Salon ouvre dès demain matin, les distributeurs et les éditeurs ne disposent que de quelques heures pour tout préparer. Tôt ce matin, ce hall n'était qu'un immense hangar gris. Ce soir, ce sera un endroit magique.

Les yeux du garçon se mirent à briller. Éolia comprit que même si ce n'était pas la première fois qu'il assistait à ce « montage », la réunion de tous ces livres dans un seul et même endroit était pour lui un véritable événement.

— Je ne suis pas allé en classe, aujourd'hui ! lui confia-t-il.

Ainsi, pour lui montrer tout ça, il avait séché l'école !

Reprenant leur promenade, ils quittèrent les grandes rues pour longer un kiosque monté comme un château fort du Moyen Âge dans lequel, là encore, se trouvaient de nombreux livres pour les enfants. Éolia était étonnée par les différentes formes des présentoirs de livres que des employés remplissaient avec bonne humeur.

Habillés pour la plupart de jeans et de chemises sorties de leurs pantalons, les libraires – Éolia décida de les appeler ainsi – parlaient fort et riaient volontiers. Rares étaient ceux qui ne portaient pas de livres.

De temps en temps, la princesse jetait un œil sur son guide. Benjamin était bien tel qu'elle se l'était imaginé : dynamique, drôle, simple et déterminé.

— Demain et lundi, ce seront les journées des écoles. Des milliers de jeunes envahiront le Salon.

— Tant que ça! s'exclama Éolia en imaginant ce joyeux attroupement.

— Vendredi, poursuivit Benjamin, ce sera ce que l'on appelle « la journée des professionnels ».

Ils marchaient à présent dans les couloirs longeant les extrémités du vaste hall, et passaient devant des kiosques plus modestes.

— Le vendredi, les éditeurs rencontrent leurs libraires et leurs imprimeurs. Des éditeurs venus de tous les pays rencontrent des auteurs, des agents littéraires et aussi des éditeurs québécois. Mais les jours vraiment occupés seront samedi et dimanche, reprit le garçon. J'ai hâte que tu voies ça! De midi à dix-sept heures, on aura du mal à circuler dans les allées tellement il y aura du monde.

— Tu en sais, des choses!

— C'est normal, ma tante est la directrice du Salon.

— Oh! s'écria Éolia.

Elle s'arrêta devant un stand et lut le panonceau suivant: Éditeurs de Nénucie.

— J'ignorais que plusieurs éditeurs nénuciens étaient également présents à Montréal !

— Il en vient de toute la Francophonie ! lui répondit Benjamin. Regarde, là !

Ils identifièrent tour à tour des éditeurs belges, suisses et même égyptiens !

— Veux-tu boire quelque chose ?

Captivée par un livre en particulier, Éolia resta silencieuse.

— En as-tu vu un qui t'intéresse ?

La fillette effleura de la main la couverture d'un grand livre sur la vie et l'œuvre du sculpteur florentin Michelangelo Buonarroti, dit Michel-Ange.

— C'est ce que l'on appelle ici un *coffee table book*.

— Un quoi ?

— C'est de l'anglais. Ça veut dire qu'il s'agit d'un gros livre d'images pour adultes. Il doit coûter très cher. Il te plaît ?

Éolia était perplexe. Non seulement ce livre parlait de Michel-Ange, mais la couverture montrait précisément la statue *Esclave mourant*, qu'elle avait vue dans son dernier rêve. Benjamin semblait inquiet.

— On dirait que tu as vu un fantôme.

Pouvait-elle le mettre dans la confidence ?

Et lui dire quoi, au juste ? Qu'un homme barbu se préparait à enfreindre la loi ? Mais en faisant quoi ? En s'en prenant à qui ? Et quel rapport existait-il entre l'homme barbu de ses rêves et cette sculpture de Michel-Ange ?

— Mademoiselle, il ne faut pas toucher ! la rabroua un homme aux yeux noirs brillants.

La fillette avait-elle la berlue ? Cet homme ressemblait trait pour trait au client barbu de la librairie ! Après lui avoir jeté un long regard inquisiteur, l'employé – ou bien était-ce un éditeur ? – saisit la pile de livres sur Michel-Ange et alla les placer ailleurs dans son kiosque, là où ils seraient à l'abri des deux enfants.

Éolia leva machinalement les yeux sur l'enseigne de l'éditeur : Les Éditions Marmara, lut-elle. De Turquie.

— Ça ne va pas ? lui demanda gentiment Benjamin.

La fillette jeta un coup d'œil autour d'elle. Repérant le colonel qui se tenait dans le stand voisin, elle fut rassurée. Ce Turc était-il le même homme que celui de ses rêves ?

Elle eut soudain envie de sortir de cette énorme fourmilière vivement éclairée d'où on ne pouvait même pas voir la lumière du jour. La gorge sèche, elle se rendit compte qu'elle mourait littéralement de soif.

Elle se tournait vers Benjamin quand Ernest Dagota jaillit brusquement de derrière une pile de caisses. Rapide comme l'éclair, il prit d'elle et du garçon une série de photos. Le colonel n'eut pas le temps d'intervenir que le paparazzi fit volte-face et se perdit dans l'immensité du hall d'exposition.

— Qui est-ce ? interrogea Benjamin.

La princesse se mordit les lèvres de rage.

— Un paparazzi. Demain matin, ces photos seront dans *L'Écho de Massora*, un magazine de mon pays !

Monsieur X les rejoignit. Agacée par l'irruption du photographe alors qu'elle avait du mal à rassembler ses idées, la fillette fit distraitement les présentations.

— Tenez ! dit le colonel en leur offrant à chacun une petite bouteille de jus glacé.

Le colonel capta le regard anxieux d'Éolia et resta de marbre quand, en se permettant de faire une bise sur la joue de la princesse, Benjamin lui demanda, fébrile :

— Alors, je peux compter sur toi, samedi à quinze heures ?

La fillette était consciente des efforts que Benjamin avait déployés pour organiser ce qu'ils avaient, ensemble, appelé leur « grand projet ». Elle savait aussi que sa tante lui avait fait confiance, puisque les journaux avaient annoncé partout, dans la presse, que la princesse de Nénucie serait présente au Salon ce samedi.

Cependant, l'intuition que l'homme qui apparaissait dans ses rêves était dangereux empêchait presque Éolia de respirer. Aussi fit-elle très attention, en buvant son jus, de ne pas « avaler par le mauvais trou » comme disait souvent Madame Étiquette, à qui cela arrivait fréquemment.

Résolue à mettre le colonel au courant de ses derniers rêves pour que toutes les chances soient de son côté dans cette histoire, elle sourit à Benjamin et promit :

— Oui, je serai là.

Le garçon en fut si soulagé qu'il s'étouffa à moitié en buvant son jus. Le colonel lui donna de grandes tapes dans le dos pour l'aider à reprendre son souffle.

Je serai là, se répéta la princesse.

6

La colère de Sophie

— **L**ia, il n'est pas question que tu ailles parader au Salon du livre de Montréal ! déclara brusquement sa mère, la princesse Sophie. Tu m'entends, je te l'interdis !

De retour à la villa du consulat, Éolia avait tout de suite été convoquée dans le bureau mis à la disposition du roi. En entrant, elle avait trouvé son grand-père, ainsi que deux de ses conseillers, penchés sur leurs dossiers. Debout dans un angle de la pièce aux murs lambrissés, le colonel attendait, les bras croisés sur la poitrine.

Éolia avait l'impression de pénétrer dans un salon funéraire. Les visages étaient si tendus que la comparaison semblait parfaitement de circonstance.

Elle s'apprêtait à refermer la porte du bureau quand une dernière personne entra. En reconnaissant la silhouette froufroutante de sa gouvernante, qui avait repris des couleurs, Éolia réalisa que les choses devaient être très graves.

La voix de sa mère s'éleva de nouveau dans la pièce. Éolia comprit que la princesse Sophie téléphonait de Nénucie et que la ligne avait été branchée sur haut-parleur.

— J'ai appris que tu avais donné ton accord pour participer à... une table ronde ou je ne sais quelle manifestation publique au Salon du livre de Montréal ! C'est inadmissible !

Comprenant que c'était sans doute Madame Étiquette qui l'avait trahie, Éolia serra les poings.

— On m'a invitée, et j'ai accepté, répliqua-t-elle, furieuse.

Il ne fallait pas que sa mère sache qu'elle avait envie de pleurer. Qu'y avait-il de mal à se rendre dans un salon du livre et à répondre à quelques questions ? Sentant qu'elle ne pourrait pas se retenir très longtemps, elle chercha le regard bleu si réconfortant de son grand-père, le roi.

— Tu vas me promettre de te conduire convenablement et d'obéir, ma fille ! lui ordonna Sophie.

Et ma promesse à Benjamin ? se dit Éolia.

Fixant le plancher, elle répondit :

— J'ai donné ma parole à un ami...

— Comment ? s'emporta Sophie au bout du fil. Tu es au Canada depuis deux jours à peine et tu te permets de changer l'emploi du temps officiel ! Cesse de ne penser qu'à t'amuser et fais ce que l'on te dit, pour une fois ! Agis en fillette responsable !

Éolia imagina sa mère rouge de colère, assise dans le salon de ses appartements privés au palais royal, en train de se faire donner une manucure par la mère de son amie Mélanie. En d'autres circonstances, cette image aurait pu la faire rire. Mais, la mâchoire tremblante de colère, elle n'en avait aucune envie.

— J'ai promis que j'irai ! répéta-t-elle en fronçant les sourcils.

— Ma fille, je...

— Cela suffit ! tonna soudain le roi.

Prenant le combiné dans sa main, il ajouta :

— Merci d'avoir appelé, Sophie. Je vais m'occuper de cette affaire personnellement.

Il raccrocha.

— Messieurs, comtesse ! Veuillez nous laisser seuls, je vous prie.

Éolia surprit le bref regard que lui lança Monsieur X. Lorsqu'il sortit à son tour, elle frissonna. Mais que craignait-elle, seul à seule avec son grand-père ? Le dos bien droit, le roi restait derrière son bureau. Après une minute qui sembla durer une éternité, il s'assit et bourra sa pipe d'herbes aromatiques naturelles. Puis, souriant à sa petite-fille, il déclara :

— Lia, je suis fière de toi ! Approche.

Abasourdie, la fillette tira un des fauteuils et vint s'asseoir auprès de son grand-père. Le jour grisâtre tombait doucement par la fenêtre. Bientôt, un domestique viendrait allumer l'âtre de la cheminée.

Vêtu d'un pantalon noir et d'un gilet doré, le roi avait fière allure. Éolia aimait entendre le son de sa grosse voix. Personne ne lui résistait. Elle se sentait envahie par une bouffée de fierté, elle aussi, car ce grand-père tout-puissant rayonnait comme un soleil sur la Nénucie.

Le roi fit quelques ronds de fumée dans la pièce. Enfin, il reprit :

— Je suis fier de toi parce que tu as eu le courage de défendre, devant ta mère, la promesse que tu as faite à ton ami.

Rassurée, la fillette lui offrit son plus joli sourire.

— Contrairement à ce que pense Sophie, tu as été responsable face à tes engagements. Par contre, je suis déçu que tu aies agi à la légère, ajouta-t-il en se levant soudain.

Sentant venir un sermon – chose surprenante de la part de son grand-père, qui avait toujours été son allié –, Éolia se crispa.

— Tu n'es pas une enfant ordinaire, Lia. Tu es la princesse de Nénucie. Ce que tu dis, ce que tu fais, est automatiquement rapporté dans la presse. Chaque jour, des millions de gens surveillent notre famille. Ce qu'ils pensent de nous les influence. Cela influence aussi leur comportement. C'est pourquoi ce qu'ils voient à la télévision ou ce qu'ils lisent sur nous dans les médias est très important.

Il écarta le rideau, se perdit un moment dans les branches nues des grands érables du parc. Éolia savait tout cela. Sa mère lui en avait parlé une bonne centaine de fois. Mais venant de son grand-père, ces mêmes paroles prenaient une tout autre signification.

Le roi semblait chercher des mots simples pour exprimer ce qu'il tentait de dire, même si Éolia était une fillette mature et intelligente. Plus tard, elle ferait sûrement des études universitaires. Il l'imaginait même devenir reine !

— Si les Nénuciens, influencés par les médias, pensent que nous nous moquons d'eux, le pays tout entier risque d'en souffrir. Prends l'exemple de cette invitation au Salon du livre. C'est en soi une belle occasion de défendre la lecture et la culture dans la Francophonie.

Mais en Nénucie, nous avons notre propre grande fête du livre. Certains Nénuciens pourraient être vexés que tu acceptes de faire dans un autre pays ce que tu ne fais pas chez nous. Et que dire du risque que tu as pris aujourd'hui !

Je comprends, se dit Éolia. *Le colonel a dû faire son rapport.*

Le roi dut lire la pensée de sa petite-fille, car il ajouta, malicieux :

— Le colonel m'a effectivement parlé de votre course dans la ville souterraine. Que penses-tu qu'il se serait produit si tu avais été enlevée ou si tu avais eu un accident ?

Éolia baissa piteusement la tête.

— Tu crois que les gens penseraient que je suis une étourdie, comme dit Madame Étiquette ? demanda-t-elle d'une petite voix.

Son grand-père la fixa dans les yeux, puis il éclata de rire.

— Ce ne sera pas pour cette fois, en tout cas ! Tu es une bouffée de fraîcheur dans la famille royale. Les Nénuciens t'adorent. Il faudra simplement faire plus attention, à l'avenir.

Il l'attira sur ses genoux.

— Si tu m'expliquais tout, maintenant!

Tout à fait soulagée, la fillette lui adressa ce regard espiègle que le roi aimait tant.

— Il s'agit de tes rêves, n'est-ce pas?

— En vérité, grand-père, il faut que je t'avoue quelque chose, commença Éolia tandis qu'un domestique du consulat entrait dans le salon, servait un café noir au roi et une tisane à la menthe à la jeune princesse.

— Ah oui?

— Tu sais, au jeu de la courte paille, je savais que c'était moi qui gagnerais parce que la veille, j'avais rêvé que je gagnais.

— Ça, par exemple! s'étonna le monarque.

Les yeux fixes, il semblait réellement fasciné.

— Deux semaines avant – j'ignorais encore que tu devais te rendre au Canada –, j'avais rêvé que je marchais dans une librairie gigantesque. Je n'étais pas seule. Un garçon inconnu m'accompagnait.

— S'appelait-il Benjamin Michaud?

— Dans mon rêve, il ne portait pas de nom. Seulement, à la fin du rêve, il m'a dit qu'il m'écrirait. Deux jours plus tard, j'ai commencé à recevoir des courriels de Benjamin.

— Tu m'as déjà parlé de ton ami l'Ambassadeur de lumière...

— Oui. C'est l'ange gardien de notre pays.

Le roi sembla soucieux. Une ride profonde barra son front.

— Ça ne va pas? s'enquit Éolia, inquiète.

— Hum... As-tu fait de nouveaux rêves depuis notre arrivée au Québec, ma chérie?

Éolia lui fit le récit de ses deux rêves, comme elle l'avait fait pour Monsieur X pendant leur retour du Salon du livre. Après avoir écouté en silence en tirant parfois sur sa pipe, le monarque resta songeur.

— Ainsi, tes rêves annoncent un drame à venir, seulement tu ignores ce dont il s'agit exactement!

— C'est ça. Et cet homme barbu serait le futur coupable.

Après un nouveau silence durant lequel le roi réfléchissait sans doute à la bonne décision à prendre, Éolia se dit qu'il avait raison de ne pas parler trop vite et de s'emballer, comme sa mère.

— Lia, ma chérie, tu vas te rendre au Salon du livre samedi. En fait, nous irons tous les deux !

— C'est vrai ?

Son grand-père hocha la tête.

Cette visite au Salon n'était sûrement pas prévue au programme officiel. Le roi avait paru contrarié, tout à l'heure, en mentionnant l'Ambassadeur. Cela avait-il un rapport avec les menaces de mort qu'il avait reçues, peu avant son arrivée au Canada, à cause de ses positions contre les grandes compagnies pétrolières ?

— À propos, pourquoi ce garçon t'a-t-il invitée au Salon du livre ? demanda le roi en s'étonnant lui-même de ne pas avoir posé plus tôt cette importante question.

— Figure-toi que Benjamin est le fondateur de mon premier fan club au Canada ! Ce fan club existe depuis quelques mois déjà, et Ben a envoyé un courriel à tous les membres pour les inviter à me rencontrer au Salon du livre. Pour cet événement, sa tante, qui est la directrice du Salon, a réservé une grande salle pour qu'il puisse me poser des questions, en direct. À l'entendre, des centaines de jeunes vont venir avec leurs parents !

Son grand-père émit un long sifflement admiratif.

— Eh bien, ma chérie, il me fera plaisir d'y assister aussi ! J'ai entendu dire que des éditeurs nénuciens seront également présents. Ce sera une excellente occasion, pour moi, de les encourager à promouvoir nos auteurs à l'étranger.

Elle noua ses bras autour de son cou et l'embrassa dans la barbe.

— Oh, grand-père, merci du fond du cœur !

7

Un nouveau scandale

Le vent avait soufflé toute la nuit. Les yeux grands ouverts dans son lit, Éolia s'était sentie trop fatiguée pour écarter les rideaux de sa chambre et vérifier pourquoi les toits grinçaient comme s'ils avaient froid ou peur. Son petit frère lui avait demandé, avant son départ, de lui rapporter des tas de cadeaux du Canada. La fillette avait réfléchi à ce qui pourrait bien lui faire plaisir, et cela n'avait pas aidé son mal de tête. Par-dessus le marché, Gressel, sa poupée magique du mercredi soir, ne lui avait pas servi à grand-chose, car une fois de plus, l'Ambassadeur de lumière ne lui avait envoyé aucun rêve.

Au petit matin, sautant de son lit, la princesse mit ses pantoufles. Les vents étaient tombés. Tirant sur les rideaux, elle resta bouche bée. Tout était blanc, dehors. Les rues, les trottoirs, le toit des maisons. Stationnées sur l'esplanade de la résidence, les limousines ressemblaient à des iglous.

Bien qu'il soit encore tôt et malgré sa fatigue, la princesse décida que cette neige accumulée était trop magique pour ne pas être observée de plus près. Il neigeait aussi à Massora, en hiver. Mais jamais au point de ne plus rien reconnaître dans les rues !

Elle descendit en trombe le grand escalier de marbre et jaillit comme un lutin sous les yeux du garde du corps en faction devant la porte d'entrée.

— Princesse, vous ne pouvez pas...

Sans tenir compte de cet avertissement, Éolia sortit sur le perron et s'enfonça jusqu'aux genoux dans la neige molle et duveteuse. Pris de court, l'agent appela le colonel sur son émetteur-récepteur. Lorsque Monsieur X rejoignit la fillette, il reçut au thorax trois boules de neige bien ajustées.

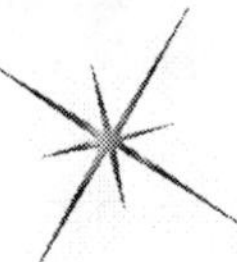

Madame Étiquette ne décolérait pas. Non seulement Éolia avait semé le colonel de la garde, la veille, mais la comtesse était persuadée qu'elle avait profité de son malaise pour n'en faire qu'à sa tête. Sophie l'avait chargée de surveiller sa fille, et elle avait lamentablement échoué.

Mais elle ne perd rien pour attendre…

Avant de quitter la villa du consulat, la gouvernante avait rassemblé son courage pour annoncer à Sophie qu'une fois encore, Éolia avait su manipuler le roi.

Quand je pense qu'il va la laisser aller au Salon du livre contre l'avis de sa propre mère ! Comment faire, après cela, pour conserver une once d'autorité sur cette jeune délinquante royale ?

Éolia avait l'œil collé à une énorme lunette d'observation.

— Venez voir, comtesse ! La vue est magique !

Tirée de ses réflexions par le ton joyeux de la princesse, Madame Étiquette reprit contact avec son environnement immédiat : la princesse, la comtesse, le colonel ainsi que madame Sauvé, la femme du consul, se trouvaient au sommet de la tour du stade olympique de Montréal.

— Je viens, Altesse, répondit la gouvernante en ressentant encore dans ses oreilles le bourdonnement désagréable dû à l'ascension de la tour.

Le programme de la journée comprenait une visite à Sainte-Justine, l'hôpital des enfants de Montréal. Suivrait une mini tournée, en compagnie du ministre de l'Éducation du Québec, dans deux écoles primaires du grand Montréal.

« Ce ne sera pas de tout repos, lui avait dit Madame Étiquette au petit déjeuner. J'ai préparé pour vous une série de questions que vous poserez aux jeunes malades de l'hôpital, ainsi qu'aux élèves des écoles. Et, de grâce, restez dans les limites du raisonnable ! »

Éolia plissa les lèvres à ce souvenir.

— Savez-vous, comtesse, reprit-elle, que cette tour inclinée est la plus haute au monde ?

Madame Sauvé, leur guide, ne cessait de faire des messes basses avec la princesse. Cela aussi agaçait la gouvernante.

— Altesse, je suis contente que votre séjour au Québec vous plaise autant, lui dit madame Sauvé. C'est sage de votre part de vous intéresser à nos monuments et à notre histoire. Je trouve important, à votre âge, de découvrir comment vivent les autres enfants du monde. Je suis certaine que vous serez parfaite, aujourd'hui, à l'hôpital et dans les écoles ! ajouta-t-elle en jetant un regard en biais à la gouvernante royale.

Madame Étiquette grimaça d'indignation. Pour qui cette femme se prenait-elle pour oser lui faire la leçon ? Cette Québécoise de malheur aux joues rondes et aux yeux pétillants prenait trop de place. La comtesse tentait depuis leur arrivée de lui clouer le bec, en vain.

Éolia découvrait Montréal du haut des airs. Après la tempête de la nuit – il y en avait souvent une durant le Salon du livre, lui avait dit Benjamin –, le soleil brillait à nouveau sur la métropole. La fillette était impressionnée par les dimensions de l'île et par la beauté un peu sauvage du mont Royal tout enneigé, posé sur la ville comme un morceau de fromage sur un plateau à dessert. Madame Sauvé lui avait appris qu'un immense cimetière occupait tout un versant de la montagne depuis plus de cent ans.

— Avant l'arrivée de l'explorateur français Jacques Cartier, en 1534, poursuivit la femme du consul, il existait un village amérindien dans la basse ville : Hochelaga. Par la suite, les colons ont confondu le nom de ce village avec celui du peuple qui vivait là. Aujourd'hui encore, ce quartier de Montréal s'appelle Hochelaga-Maisonneuve.

Éolia pointa sa lunette télescopique en direction d'un dôme verdâtre dominant le mont Royal.

— C'est l'oratoire Saint-Joseph, expliqua madame Sauvé. C'est grâce à un simple prêtre, le frère André, qu'il a été

érigé. C'était un saint homme qui avait le don de guérir les malades.

— J'aimerais beaucoup visiter cet endroit ! s'enthousiasma Éolia.

— Hélas ! Altesse, notre horaire est très serré, intervint la gouvernante. N'oubliez pas que ce soir, le premier ministre du Québec vient dîner à la villa !

— Ici, on dirait plutôt qu'il vient souper, ne put-elle s'empêcher de répondre.

La fillette s'était sentie bizarre quand le funiculaire avait commencé à gravir la tour inclinée du stade. Maintenant, encore, elle avait la tête lourde. Mais était-ce dû au vertige, ou bien était-elle agacée par le ton froid et pincé de la vieille comtesse ?

Elle jeta un coup d'œil aux visiteurs également présents au sommet de la tour. Parmi eux se trouvait un jeune homme recroquevillé dans un coin.

Étonnée de le voir lire au lieu d'observer le paysage, elle tendit le cou dans sa direction. Entre ses mains, elle vit la jaquette de son livre et crut reconnaître, en couverture, la statue *Esclave mourant*, de Michel-Ange. Alors qu'elle songeait à interrompre le jeune lecteur pour lui demander le titre de son livre, Madame Étiquette déclara sèchement :

— Il est temps de partir, Altesse !

— Cinq jours, ça ne suffit pas pour tout voir, laissa tristement tomber la fillette en détournant la tête du jeune homme.

— Alors, suggéra madame Sauvé, il faudra revenir nous voir !

La comtesse faillit s'étouffer, mais personne ne fit attention à elle. Éolia lisait à présent les indications imprimées sur le rebord du poste d'observation. Elle pointa ensuite sa lunette en direction de l'ouest, vers l'avenue Queen-Mary, où vivait Benjamin.

S'était-il fait gronder, lui aussi ? Sa mère n'avait sûrement pas apprécié qu'il manque l'école une seconde fois. Son frère Simon, dont Benjamin lui avait parlé, avait-il couvert la fugue du garçon ?

— Altesse ! Il est l'heure, répéta brusquement Madame Étiquette.

Le colonel n'avait pas prononcé une seule parole depuis le matin. Éolia espérait qu'il n'était pas trop fâché contre elle à cause de sa fugue d'hier.

— Des journalistes nous attendent au pied du stade, ajouta la gouvernante. J'espère que vous saurez faire preuve de tact.

Bien sûr ! Sauf si Dagota se trouve parmi eux, se dit la princesse en prenant place dans le funiculaire.

— L'extension de notre métro jusqu'à Laval est loin d'être terminée, déclara Joseph Tremblay, le premier ministre du Québec, mais les résultats seront à la hauteur de nos espérances.

Il était arrivé une heure plus tôt à la résidence du consulat en compagnie de sa charmante femme, de son conseiller politique en matière d'affaires extérieures, d'un secrétaire et de ses gardes du corps.

Éolia découvrait dans son assiette un plat typiquement québécois : un gigot d'agneau à la sauce au sirop d'érable, le tout servi avec des pommes de terre en purée. Joseph Tremblay avait l'air anxieux et aux aguets. Sans doute était-il, comme les politiciens de Nénucie, constamment sous la loupe des médias.

Heureusement, l'atmosphère était familiale autour de la table. Plusieurs bouteilles de vin, autant québécois que nénuciens, étaient également à l'honneur. Jusqu'à présent, le premier ministre avait abordé plusieurs sujets, dont celui de l'énergie.

— Des éoliennes ! C'est mieux qu'une centrale à gaz, approuva le roi lorsque Joseph Tremblay vanta ses efforts pour mettre de l'avant, au Québec, des procédés de fabrication d'énergie « propre ».

De ces propos, la princesse ne retint que le mot « éolienne », dont avait été tiré son prénom. Joseph Tremblay lui sourit et sa femme la complimenta.

— Vous êtes aussi jolie que sur les photos des magazines !

Arrosée d'un excellent vin de glace québécois, la conversation tourna ensuite autour d'Éolia. Surprise d'être soudain le centre d'intérêt, la fillette se sentit intimidée.

— Les médias racontent vraiment n'importe quoi, lança la femme du premier ministre en s'adressant directement à elle. J'ai lu dans le journal que vous vous seriez glissée, hier, au Salon du livre avec une perruque sur la tête !

Il y eut quelques éclats de rire autour de la table. Personne ne pouvait croire en de pareilles fables! Éolia approuva et rit avec les autres en échangeant un clin d'œil avec son grand-père.

Madame Étiquette, qui malgré son titre de comtesse n'avait pas été invitée au souper, se présenta soudain aux portes du grand salon.

— Veuillez m'excuser, mais on demande la princesse, annonça-t-elle, le sourcil froncé.

Confuse, la fillette plia sa serviette et se leva de table. Sur un signe de tête du roi, le colonel se leva également, suivi par le secrétaire particulier du consul.

Ils sortirent du salon éclairé par deux gros chandeliers en bronze.

— Où me conduisez-vous? demanda Éolia en arrivant au bout du corridor.

— Suivez-moi, Altesse, se contenta de répondre sa gouvernante.

Déambulant dans un large corridor, ils passèrent devant un petit salon où quelques employés du consulat regardaient la télévision. Une porte s'ouvrit sur un sombre escalier. L'homme du consulat les devança jusqu'à un couloir souterrain dont les parois étaient faites de béton rugueux.

Était-ce une descente aux enfers? Éolia retint son souffle. Heureusement, le colonel était à ses côtés!

Ils franchirent une seconde porte. On aurait dit celle d'un énorme coffre-fort. Éolia interrogea le colonel du regard.

— C'est la pièce la plus secrète de toute la villa, Altesse, lui expliqua le secrétaire particulier. Chacune de nos ambassades et certains de nos consulats, de par le monde, en sont équipés.

La chambre forte était obscure et froide. Éolia vit de gros ordinateurs datant d'une trentaine d'années alignés le long des murs, ainsi que du matériel de communication plus moderne, dont un immense écran plat et un projecteur vissé au plafond. Une longue table de conférence et des chaises complétaient le mobilier.

— C'est ici que se prennent les décisions importantes, Altesse. Grâce aux téléphones que vous voyez sur ce bureau, le consulat est en communication directe avec le palais royal.

Il n'eut pas besoin d'en dire plus. Éolia avait vu de nombreux films d'espionnage, et elle savait que ce qui se disait dans cette salle ne pouvait être entendu par aucun terroriste.

N'ayant pas prêté attention à sa gouvernante, elle fut surprise, soudain, par son air joyeux. L'instant d'après, un visage apparut en gros sur l'écran plat.

— Ma fille, tu me déçois beaucoup ! s'exclama la voix ferme et aigre de sa mère.

Qu'est-ce que j'ai encore fait ? se demanda Éolia.

Mais au fond de son cœur, elle le savait. Sophie brandit la première page de *L'Écho de Massora.*

« La princesse Éolia fait des siennes à Montréal ! » titrait le magazine.

– C'est un numéro spécial sur tes frasques au Canada ! clama Sophie. Tu te reconnais ?

La fille, sur la photo, était brune et portait de grosses lunettes.

C'est encore à cause de Dagota ! se dit la fillette en se rappelant les photos que le paparazzi avait prises lors du montage du Salon.

— La question est la suivante, Lia : est-ce vraiment toi ou bien le journaliste a-t-il tout inventé ?

Éolia échangea un bref regard avec le colonel. Son pire cauchemar se réalisait. Elle était découverte ! Comme ils ne se trouvaient pas en Nénucie, Mélanie, l'amie et sosie d'Éolia, n'avait pas pu jouer son rôle de princesse.

— Si ce n'est pas toi, sur la photo, poursuivit Sophie, le palais publiera un démenti officiel dès demain matin.

Sa mère avait les yeux rouges. Était-elle chagrinée par la conduite de sa fille ?

Après un bref silence, la fillette avoua :

— C'est moi.

Outrée, Sophie ouvrit de grands yeux, puis la bouche, comme si elle voulait crier. Elle hésita entre la colère, le mépris et la tristesse. Finalement, elle reprit sur un ton plutôt calme qui surprit tout le monde :

— C'est bien ce que je pensais. Nous publierons quand même un démenti officiel.

Lorsqu'elle regagna les étages, Éolia s'arrêta spontanément devant le petit salon. À la télévision passait un reportage vantant la célébrité d'un roman qui pulvérisait tous les records de vente à travers le monde. Étonné par l'immobilité de la princesse, le colonel tendit l'oreille.

« L'auteur, disait le reporter, a reçu d'acerbes critiques de la part de groupes religieux extrémistes, et il craint pour sa vie… »

Éolia restait sans voix.

— Princesse, vous allez bien ? demanda le colonel.

La question de l'officier brisa le fil de ses pensées. Songeant à ce que lui avait dit sa mère, elle déclara, songeuse :

— Je ne comprends pas. Maman va dire aux journaux que ce n'était pas moi, sur les photos ! Que Dagota a tout inventé !

Elle reprit sa marche.

— Cela vaut mieux ainsi, Altesse, répondit le colonel. C'est ce que l'on appelle de la politique.

Ainsi, songea Éolia, *les journalistes n'ont pas toujours tort.*

Pendant une seconde, elle eut de la peine pour le paparazzi. Une fois encore, il perdait sa bataille contre le palais royal !

Comme Madame Étiquette n'était pas remontée avec eux, elle se dit que Sophie devait lui faire de nouvelles recommandations. À cette seule pensée, la fillette parut contrariée. Le colonel s'en aperçut.

— Ne vous en faites pas. Samedi, la comtesse sera au Salon. Mais j'y serai, moi aussi...

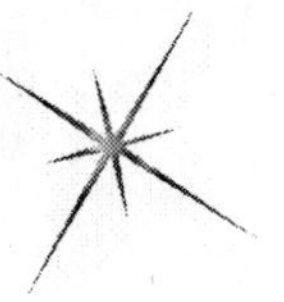

8

Une photo de trop

Éolia espérait bien que sa nuit serait aussi fertile, en information et en aventure, que l'avait été la journée. Hélas, Charlotte ne vint pas lui rendre visite. La journée du vendredi fut entièrement consacrée aux emplettes familiales, coupées, il est vrai, par un dîner chez le maire de Montréal.

Le soir venu, la fillette espérait que sa poupée magique du vendredi soir serait à la hauteur de ses attentes.

Bérangère n'arrêtait pas de se plaindre.

— ... en plus, avoue-le que tu t'en moques, Lia!

— Mais enfin, ce n'est pas ma faute si ton accent français étonne certaines personnes!

— Pourtant ne trouves-tu pas qu'ils en ont un, aussi?

— Chacun a le sien et c'est très bien ainsi, rétorqua Éolia.

La jeune princesse était perplexe. Depuis que ce rêve avait commencé, elle cherchait quelque chose. Le problème, c'est qu'elle avait oublié quoi! Bérangère, qu'elle tenait fermement par la main pour éviter qu'elles ne se perdent, le savait. Mais elle pouvait se montrer si pleurnicheuse, parfois, que lui tirer les vers du nez était une entreprise difficile.

Autour d'elles, les « gens », comme les appelaient un peu pompeusement Bérangère, déambulaient. Réalisant soudain qu'elle se trouvait en rêve au Salon du livre de Montréal, la fillette se sentit plus nerveuse.

Allait-elle enfin en apprendre davantage sur sa mission?

— Ne me lâche pas la main! ordonna-t-elle à Bérangère.

— Mais où veux-tu aller, à la fin?

Éolia la dévisagea.

— C'est toi qui m'as conduite ici; c'est toi qui dois le savoir et me le dire, lui répondit la fillette en fronçant les sourcils.

Bérangère prit quelques secondes pour arranger sa coiffure, qui était pourtant parfaite.

— Alors, où allons-nous? s'enquit la princesse.

Au pied d'un grand escalier en ciment conduisant aux mezzanines sud et aux toilettes se trouvaient plusieurs panneaux indicateurs.

Elles cherchaient un numéro de kiosque. Était-ce celui du stand où se trouvait le livre mystérieux qui l'intriguait depuis son premier rêve?

Huit cent..., songea la fillette sans pouvoir se rappeler les autres chiffres.

Elle vit soudain un énorme point d'interrogation se détacher dans la masse des grandes affiches suspendues.

« C'est sans doute le comptoir d'information ! » se dit tout haut la princesse.

Dans son rêve, elle portait les grosses lunettes et la perruque brune qu'elle avait déjà utilisées lors du montage. L'animation, la chaleur causée par les gros projecteurs, celle dégagée par les centaines de personnes, étaient conformes à l'idée qu'Éolia se faisait de ce grand Salon du livre français en Amérique du Nord.

En arrivant devant le kiosque d'information, elle se hissa sur la pointe des pieds. Le visage de l'employé était à moitié caché par son écran d'ordinateur.

— Vous désirez, ma petite demoiselle ?

Réalisant que le jeune homme s'adressait à sa poupée magique plutôt qu'à elle, la princesse s'approcha davantage.

— Heu...

— Nous cherchons un livre qui parle de Michel-Ange, lui demanda Bérangère. Il est gros comme ça – elle lui donna une mesure approximative avec ses deux mains – et épais... comme ça – elle fit de même avec son pouce et son index. Il y a une statue sur la couverture. Ah oui ! Comme il est très gros, il doit coûter cher.

Éolia haussa les épaules. Même dans un rêve, on ne pouvait pas demander une chose pareille et s'attendre à obtenir une réponse claire. D'autant plus que Bérangère était une poupée datant du XVIIIe siècle. Elle avait vécu à la cour de Louis XV, et son attitude un peu snob pouvait en choquer plusieurs.

Éolia décida quand même de lui faire confiance. Après tout, si elle avait été envoyée par l'Ambassadeur de lumière pour la guider dans son rêve, il était normal qu'elle en sache plus qu'elle.

À sa grande surprise, l'employé, qui avait le visage étroit, des yeux très pâles et une grande bouche, trouva rapidement la réponse à sa question.

— Pas de problème, ma petite demoiselle ! Ce livre s'appelle…

Malheureusement, à cet instant précis une main se posa sur l'épaule d'Éolia.

— Dagota ?

— Bonjour, Altesse ! lui répondit le paparazzi en la dévisageant avec ses gros yeux de poisson sur un étalage.

Même dans ses rêves, la princesse se méfiait de lui. Comme elle portait un déguisement, elle crut pouvoir s'en débarrasser.

— Heu... Vous vous trompez, répliqua-t-elle, je...

— Allons, pas de blague. Une petite photo, s'il vous plaît! lui demanda le paparazzi, un sourire malicieux au bord des lèvres.

Bérangère lui tira la manche.

— Lia!

— Quoi?

— Tu as entendu?

Bérangère lui donna le titre du livre que l'employé avait miraculeusement trouvé dans son ordinateur.

— Et rappelle-toi aussi de cela: mille deux cent quatorze.

La princesse fut un peu surprise, car elle pensait que le numéro du kiosque serait plutôt un nombre dans les huit cents.

— Inutile de jouer la comédie, Altesse, insista Dagota, je sais bien que c'est vous!

Le bruit des conversations, la chaleur et les gens qui s'agitaient autour d'eux faisaient tourner la tête de la princesse.

— Lia, tu ne te sens pas bien? lui demanda Bérangère tandis que Dagota, impatient, scrutait les environs d'un regard inquiet.

Éolia était tout étourdie. Bérangère l'entraîna à l'écart. Elles s'assirent sur un banc de métal peint en vert.

— Lia, il faudra que tu te souviennes bien du titre du livre et du numéro, lui recommanda la poupée magique en posant sa main blanche sur le front de la princesse. Tu es toute chaude. Tu fais sûrement de la fièvre. Il serait plus sage que tu te réveilles.

Soudain, tandis que le flot des visiteurs ne cessait d'augmenter, Dagota se présenta devant leur banc.

— Mais vous êtes encore plus collant qu'une sangsue! s'écria Éolia, de plus en plus irritée par la présence du photographe.

Elle chercha le colonel des yeux. Déçue de ne trouver personne qui puisse la protéger du paparazzi, elle décida de l'ignorer. Mais le photographe était malin.

— Je sais bien que c'est vous, princesse! Allez, rien qu'une petite photo!

— J'ai dit non! s'emporta Éolia.

Mais comme il s'agissait d'un rêve et qu'il y avait peu de risques que sa mère ne voie cette photo dans les pages de

L'Écho de Massora, elle haussa les épaules.

— Après tout, faites ce que vous voulez !

De mauvaise grâce, elle se colla contre Bérangère tandis qu'Ernest Dagota les cadrait toutes les deux dans son appareil.

— La princesse Éolia et sa poupée magique ! s'exclama Dagota en rêvant sûrement au titre de l'article qui accompagnerait cette photo.

— Hé ! Vous n'allez pas écrire ça ! se rebiffa la fillette.

À cet instant, un autre photographe, vêtu d'un blouson de cuir noir et por-

tant une barbe, bouscula Ernest Dagota et prit sa place.

Le flash de son appareil les aveugla. Il y eut une détonation sourde dans l'air. Autour d'eux, les gens poussèrent des cris de stupeur. Puis la sirène d'alarme du Salon du livre se mit à sonner.

La princesse se tourna vers Bérangère.

— Que se passe-t-il?

Au même moment, elle vit le regard mauvais que lui lançait Dagota. Contre toute logique, le second photographe tendit la main à Dagota et la lui serra. Effrayée par les sirènes, la foule commença à courir dans tous les sens.

— Lia! gémit Bérangère, qui avait glissé du banc.

— Quoi?

Éolia se pencha sur la poupée magique qui gisait au sol. Elle entendit les paroles d'une femme dans la foule.

— Il lui a tiré dessus avec son appareil photo!

Éolia se retourna. Étrangement, de la fumée noire sortait des deux appareils des paparazzis. La fillette se rappela alors cette détonation qu'elle avait entendue au moment où le second paparazzi prenait sa photo.

— Lia..., dit péniblement Bérangère, toute pâle.

Effrayée, la princesse appela:

— Monsieur X! Colonel!

— Souviens-toi du titre du livre et du numéro mille deux cent... quatorze, Lia, haleta Bérangère avant de fermer les yeux.

La fillette posa sa main sur la gorge de son amie, tâta le devant de sa robe.

— Bérangère, arrête de...

Éolia se réveilla avant d'avoir terminé sa phrase. Le cœur battant, elle alluma sa lampe de chevet et observa sa poupée qu'elle avait posée, la veille, sur une chaise près de son lit.

Les yeux inexpressifs, somptueusement vêtue d'une robe de taffetas beige brodée de soie, Bérangère semblait dormir paisiblement.

Ouf! se dit la fillette. *Elle n'est pas blessée. La balle a seulement dû la frôler et lui faire peur!*

Persuadée que ce troisième rêve était un nouvel indice envoyé par son ami l'Ambassadeur de lumière, Éolia n'était tout de même pas trop rassurée.

Il va se passer des choses graves au Salon du livre. Mais quoi?

Elle jeta un coup d'œil à son réveil numérique : minuit quatorze, très exactement.

Mille deux cent quatorze! Comme le numéro du kiosque! se dit-elle, émerveillée.

Craignant de l'oublier, elle s'empressa de noter ce numéro dans son journal de rêves. Par contre, quand vint le temps d'inscrire le titre du livre, elle eut un trou de mémoire.

Persuadée que ces éléments : le livre, le numéro, la phrase lue dans son rêve et les deux paparazzis qui faisaient feu avec des appareils photo truqués étaient liés, Éolia se sentit sur le bord de la panique.

Elle se rappela que son grand-père avait changé son emploi du temps à la dernière minute pour l'accompagner au Salon du livre...

Se pourrait-il que...

La princesse n'osa pas aller au bout de sa pensée.

Instinctivement, elle se tourna vers sa table de chevet. Elle devait ouvrir le tiroir du bas, décrocher l'appareil téléphonique spécial relié directement à la chambre du colonel... Elle se rappela *in extremis* que, malheureusement, elle ne se trouvait pas dans sa chambre du palais royal, mais dans la villa du consulat de Montréal, au Canada.

Impuissante, Éolia marcha jusqu'à sa fenêtre. Dehors, les vents étaient déchaînés. La ville subissait l'assaut d'une seconde tempête de neige. En voyant les milliers de points blancs voltiger dans la nuit, la fillette crut les entendre la prévenir d'un grand danger... puis éclater de rire comme l'avaient fait, après s'être serré la main, Dagota et l'homme barbu qui croisait toujours son chemin.

Bien décidée à ne pas se laisser influencer par ces mauvais présages, elle se força à respirer calmement.

Demain matin, elle préviendrait le colonel.

Le chef des services secrets du roi trouverait bien un moyen pour empêcher son grand-père de se rendre au Salon du livre où Ernest Dagota, assisté de l'homme à la barbe et au manteau de cuir noir, allait peut-être tenter de l'assassiner...

✶

9

Les arbres qui marchent

Madame Étiquette avait reçu des ordres stricts de la part de la princesse Sophie : elle ne devait pas quitter la petite princesse des yeux pendant qu'elle se trouverait au Salon du livre.

La gouvernante fronça les sourcils, car la fillette debout devant elle ne ressemblait pas à Éolia. Elle trouvait ses lunettes affreuses et sa perruque brune du plus mauvais goût.

« Je veux y aller incognito ! » s'était exclamée la princesse en descendant de la limousine royale, deux rues plus à l'ouest du pâté d'immeubles où était située la Place-Bonaventure. Les trottoirs, submergés de neige, étaient impraticables. La comtesse s'était enfoncée jusqu'aux genoux, ce qui avait encore aggravé sa mauvaise humeur.

En pénétrant dans l'immeuble de la Place-Canada où se trouvait, au rez-de-chaussée, une grande patinoire intérieure, Madame Étiquette put enfin mettre un mot sur le sentiment qui l'agitait depuis le matin : la frustration. Elle était frustrée de ne pouvoir contrôler la situation. Ce qui, entre autres symptômes nerveux, lui causait des écoulements nasaux.

Reniflant comme un taureau mécontent, elle suivit la fillette brune ainsi que le colonel de la garde. Ils s'engouffrèrent tous trois dans une enfilade de corridors, prirent un escalier roulant et arpentèrent une longue rampe bondée de monde. Madame Étiquette n'hésita pas à jouer des coudes pour se frayer un chemin parmi les citadins qui, préférant ne pas prendre leur voiture à cause de la tempête, se rendaient au Salon du livre de Montréal en métro.

La gouvernante n'avait pas l'habitude de se frotter ainsi au commun des mortels. Elle prenait son air pincé chaque fois qu'on la serrait de trop près. Monsieur X aussi était inquiet. Mais pas pour les mêmes raisons.

— Ne courez pas, Votre Al…

Il n'alla pas au bout de sa phrase, car Éolia leur avait formellement demandé de ne pas l'appeler « Votre Altesse ».

Arrivés dans le grand hall où se trouvaient les guichets ainsi que le stand des exposants, ils sortirent du trafic pour s'adosser contre un des piliers en béton. Même s'il faisait très chaud, Éolia, mi-effrayée mi-excitée, était aussi rouge que si elle sortait d'un congélateur.

— Maintenant, leur dit-elle, il faut régler nos montres.

C'était la première fois qu'elle se sentait « en mission spéciale » et qu'elle voyait en même temps, par-dessus son épaule, le nez crochu et les yeux scrutateurs de sa gouvernante. Ça lui faisait tout drôle de se dire que si elle ne comprendrait jamais tout, Madame Étiquette serait présente à ses côtés. Elle échangea un regard avec son ami Monsieur X qui comprit aussitôt le malaise de la petite princesse.

— Récapitulons, reprit Éolia. Il est onze heures. À onze heures trente, j'ai rendez-vous avec la directrice du Salon. À midi, grand-père se rendra au stand des éditeurs de Nénucie. À quinze heures, je dois être à la place Bell pour mon entrevue avec Benjamin.

Madame Étiquette reniflait. Elle se tourna vers le colonel de la garde, et laissa tomber, méprisante :

— Et vous, vous vous prêtez sans rien dire à cette mascarade ! C'en est ridicule !

Éolia agissait et s'exprimait d'une manière vraiment étonnante. Pour un peu, on aurait dit une autre petite fille. Cette histoire ne plaisait pas à la vieille gouvernante. Le roi avait certes autorisé la princesse à assister au Salon, mais elle la surveillerait de près... pour l'honneur de la Nénucie !

— Je n'ai pas compris la raison pour laquelle vous vous déguisez comme une fille du peuple ! laissa-t-elle tomber en grinçant des dents.

Éolia se força à lui sourire.

— Je veux visiter le Salon et voir les livres que je veux sans que les gens me regardent comme si je débarquais d'une autre planète !

La gouvernante haussa les épaules. Quelle était cette nouvelle lubie ? Éolia était une princesse. Le peuple l'adulait depuis qu'elle était bébé. Cela était parfaitement normal aux yeux de la comtesse.

— Allons-y ! décida la fillette.

Le colonel, à qui le monarque avait demandé de veiller sur elle, tapota le microphone accroché à son oreille. En contact permanent avec ses hommes en poste auprès du roi, il se jura bien de ne pas perdre la princesse de vue.

Rien ne se passait comme l'avait prévu Éolia. Elle se rappela son petit déjeuner.

— Tu crois que quelqu'un va tenter de m'assassiner au Salon du livre ? lui avait demandé son grand-père tandis que le colonel faisait la grimace et que les autres gardes du corps ouvraient de grands yeux horrifiés.

La fillette lui avait fait un résumé complet des événements, depuis son premier rêve, dans l'avion royal.

— Et le meurtrier serait le photographe de *L'Écho de Massora*, Ernest Dagota !

Le colonel nota aussitôt le nom du paparazzi.

— Il a un complice, ajouta Éolia. L'homme dans mes rêves, celui qui travaille pour un éditeur turc.

— Nous allons faire surveiller ces hommes, Majesté, dit le colonel.

Le roi se pencha vers sa petite-fille.

— Tu vois, il n'y a pas de raison de t'inquiéter.

— Mais...

Il la serra dans ses bras.

— Dans la vie, Lia, il faut savoir dominer ses peurs. Si tu les laisses te conduire par le bout du nez, tu es comme un bateau sans gouvernail. Tu tournes en rond et tu finis par gâcher tes rêves et ta vie.

Un bateau qui tourne en rond, se dit la fillette en visualisant cette image utilisée par le roi. Honorés par sa présence, les éditeurs nénuciens attendaient son grand-père avec impatience. Même si l'officier de la gendarmerie royale attaché à sa sécurité l'avait mis en garde, le roi n'avait pas changé ses plans. Il respecterait ses engagements malgré la menace.

Éolia pensa que, décidément, son grand-père était un brave. Se sentant dépassée par les événements, elle regarda autour d'elle.

Que de monde ! C'est vraiment la plus grande librairie que j'aie jamais visitée !

Le colonel la talonnait.

— Il nous faut comprendre mon dernier rêve avant qu'il soit trop tard ! lui dit-elle.

L'officier fronça les sourcils. D'après lui, les quatre pièces du puzzle se présentaient comme suit : le livre sans titre ; l'homme barbu volant – sans aucun doute le complice de Dagota ; la mystérieuse statue de Michel-Ange ; et le kiosque numéro mille deux cent quatorze. Tels étaient les « indices » véhiculés par les rêves de la fillette. Mais comment les transposer dans la réalité sans se tromper en un si court laps de temps ?

La veille au soir, le colonel avait tenu une réunion avec ses hommes. Depuis leur arrivée au Québec, les journaux publiaient un compte-rendu quotidien des interventions du roi à la tribune du sommet pour la réduction de la pollution et des effets de serre, à l'échelle mondiale.

Le colonel savait que certaines compagnies pétrolières trouvaient que le roi exagérait dans ses propos. Ces compagnies n'aimaient pas le projet de loi que le monarque tentait de faire adopter à l'ONU. Mais se risqueraient-elles à le faire assassiner par un tueur à gages barbu aidé d'un paparazzi ?

La direction du Salon du livre, au courant de la situation, avait sorti le grand jeu. Il n'y avait qu'à ouvrir les yeux pour se rendre compte que le nombre habituel d'agents de sécurité avait triplé.

— Allons de ce côté ! décida Éolia en remontant l'allée principale qui séparait le hall d'exposition en deux moitiés.

L'officier sortit son plan du Salon et suivit leur progression du sud au nord avec son doigt. De grands distributeurs se dressaient sur les bords de l'allée. Des employés étaient postés devant chaque accès. Le colonel devina qu'ils étaient chargés de prévenir le vol à l'étalage.

Quelque peu désorientée, Madame Étiquette marchait la tête baissée. Bousculée par deux adolescents efflanqués, elle heurta de l'épaule une sorte de grand présentoir en carton sur lequel était imprimée l'image d'une fillette blonde sur fond bleu. Voyant une fente à la surface du présentoir, la gouvernante s'étonna.

— Ils ont de drôles de boîtes aux lettres, au Québec !

— C'est pour les enfants pauvres, lui expliqua Éolia.

Madame Étiquette, qui n'arrivait pas à s'habituer au déguisement de la princesse, renifla de nouveau.

— Les gens achètent un livre, poursuivit la princesse, puis ils remplissent une carte. Ils glissent la carte et le livre acheté dans un petit sac en plastique, et ils le mettent dans cette boîte. Ces sacs seront ensuite distribués gratuitement à des enfants pauvres pour leur permettre de découvrir des livres et des auteurs.

— C'est une belle idée ! approuva le colonel sans cesser de surveiller les environs.

Madame Étiquette se moucha bruyamment.

— On devrait avoir la même chose en Nénucie, déclara Éolia. Il faudra que j'en parle à grand-père. Oh !

Oh ? quoi, encore ? se dit la gouvernante.

Soudain, elle comprit.

— Par le diable ! s'écria-t-elle.

Deux énormes troncs d'arbres venaient de se placer de chaque côté de la vieille dame épouvantée. Levant les yeux vers leur feuillage, la comtesse découvrit qu'il s'agissait en fait de deux hommes montés sur d'immenses échasses, revêtus d'un costume qui ressemblait à un tronc garni de racines. Leurs bras étaient équipés de longues prothèses en forme de branches et ils portaient du feuillage en plastique sur leur tête.

Une jeune femme les accompagnait.

— Vous allez bien, madame ? demanda-t-elle à la comtesse.

— Ai-je l'air d'une arriérée mentale, jeune fille ? rétorqua la gouvernante, outrée par tant de familiarité.

Éolia, qui s'intéressait à tout, demanda :

— Est-ce pour éviter qu'ils ne tombent sur quelqu'un, que vous les suivez partout ?

La jeune bénévole avait craint que la vieille dame ne lève le ton. Soulagée, elle sourit à la petite brunette. Surprises par l'arrivée impromptue de ces drôles d'arbres en plein Salon du livre, d'autres personnes s'étaient arrêtées.

— Et... ils servent à quoi ? s'enquit la princesse.

Ravie de pouvoir s'expliquer devant tout le monde, ce qui semblait justement être le but recherché, la jeune femme se racla la gorge.

— Ces arbres sont au Salon du livre pour sensibiliser les visiteurs au fait qu'utiliser trop de papier, dans la vie quotidienne, est néfaste à long terme pour l'environnement. Ces mascottes vivantes sont là pour nous rappeler que les livres, également, viennent des arbres !

— Je me demande si les éditeurs de Nénucie utilisent du papier recyclé, fit Éolia en cherchant le regard de sa gouvernante.

Mais la comtesse avait disparu ! Pendant qu'elle donnait ses explications, la jeune femme et ses mascottes géantes avaient continué à marcher dans l'allée. Sans doute la gouvernante n'avait-elle pas suivi !

— Monsieur X, dit soudain la fillette, nous avons perdu Madame Étiquette !

10

Sur la piste de Michel-Ange

La princesse consulta sa montre. Comme elle faisait une drôle de tête, le colonel fronça ses épais sourcils.

— Qu'y a-t-il?

— Il est onze heures trente-cinq, lui dit Éolia. Je suis en retard à mon rendez-vous. Par ici! ajouta-t-elle en se dirigeant, comme dans son dernier rêve, vers le kiosque d'information.

En se faufilant, elle parvint à poser ses coudes sur le comptoir.

— Excusez-moi… Ça par exemple ! s'écria-t-elle en reconnaissant l'homme qu'elle avait vu dans son rêve.

— Eh bien, ma petite demoiselle, s'exclama l'employé au visage étroit et aux yeux très pâles, seriez-vous trop pressée pour attendre votre tour ?

— Oui, c'est urgent. Je cherche le…, commença Éolia en n'étant pas certaine du terme approprié, le salon des VIP. La pièce où se retrouvent les attachés de presse.

— Attendez votre tour, lui répondit-il, très occupé avec d'autres clients.

— Mais… J'ai rendez-vous avec madame Michaud ! s'exclama la princesse, contrariée, et je suis déjà en retard !

L'employé changea brusquement d'expression.

— Madame Michaud, répéta-t-il, comme si ce nom était magique.

En quittant le kiosque d'information, la fillette était blême.

— Ça ne va pas ? lui demanda le colonel. On dirait que vous avez vu un revenant.

— Cet employé est le même qui m'a servie dans mon dernier rêve, répondit la fillette, éberluée.

— C'est une troublante coïncidence, en effet !

Si l'employé était réel, le drame de son rêve le serait-il également ?

Ils longèrent l'allée sud et gravirent les marches qui conduisaient à la mezzanine. Au lieu de tourner à gauche pour monter sur les balcons ou bien aller aux toilettes, ils continuèrent tout droit et parvinrent à un premier bureau qui donnait accès à un petit salon pourvu d'une baie d'où l'on pouvait admirer la ville.

Une secrétaire ouvrit la bouche pour demander ce que pouvait bien vouloir cette fillette, quand Benjamin s'exclama :

— C'est elle !

Monsieur X entra derrière la princesse et jeta un regard circulaire dans le bureau. Une grande dame blonde au visage avenant marcha au-devant de la princesse et lui tendit la main.

– Votre Altesse, très heureuse de faire votre connaissance. Je suis Monique Michaud...

— La tante de Benjamin ! Il m'a beaucoup parlé de vous. Enchantée.

La directrice du Salon du livre avait une main ferme et tiède. Éolia se dit qu'elle devait être une femme de décision, comme sa grand-mère, la reine.

— Altesse, c'est très aimable à vous d'avoir accepté l'invitation de Benjamin. Il a travaillé fort pour créer votre premier fan club au Québec. Votre présence le récompensera grandement.

Un peu surprise de parler à une fillette portant une perruque et de grosses lunettes, elle entreprit néanmoins de l'avertir que de nombreux journalistes aimeraient l'interviewer après sa discussion en direct, à quinze heures, avec son neveu.

— Une animatrice bien connue d'une émission radiophonique sera dans la salle. Elle espère pouvoir vous poser quelques questions...

Éolia avait envie d'accepter. Mais, en même temps, elle se demandait si ce qui allait se produire au Salon dans moins d'une heure, peut-être, n'allait pas semer la panique et tout bouleverser.

Devait-elle confier ses angoisses à cette dame ? Elle ne voulait certainement pas que son Salon figure le lendemain dans tous les journaux, comme le lieu où un crime avait été commis… Voyant son expression contrariée, Benjamin se mordit les lèvres.

— Je serai à la place Bell avant quinze heures, promit la princesse.

Son ton de voix semblait si hésitant que Benjamin ajouta :

— Je vais t'accompagner dans ton tour du Salon.

Ravie de la proposition de son neveu, la directrice songea à ses propres engagements. Le Salon battait son plein et elle était débordée. Pendant que les deux enfants sortaient du salon de presse, le colonel s'arrêta sur le pas de la porte, se retourna et déclara :

— Je vais les accompagner, moi aussi !

En sortant à son tour, il resta pantelant de surprise. La foule était si compacte, sur la mezzanine sud, qu'il venait de les perdre de vue.

— Altesse ! s'écria-t-il en fouillant la foule du regard.

— Mais enfin, pourquoi courons-nous ? demanda Benjamin, déjà essoufflé.

— Le livre de mon rêve. Le *coffee table book*, comme tu disais. Il faut que je le retrouve.

Elle se retourna pour savoir ce que le colonel pensait de son idée, et resta béate de surprise en constatant qu'il avait disparu.

Le garçon se rappela le jour du montage. Éolia avait bien mentionné un rêve étrange, mais sans lui fournir plus de détails. Son visage était si pâle qu'il prit peur.

— Je sais où se trouve le kiosque ! s'exclama-t-il.

Ils pénétrèrent dans un gros stand rempli de présentoirs de livres de poche, puis ressortirent par l'autre extrémité. Foulant à nouveau le tapis rouge de l'allée centrale, ils contournèrent le carrefour du Salon du livre. Éolia jeta un coup d'œil sur cette vaste esplanade couverte de chaises où les gens pouvaient se reposer tout en écoutant des conférenciers.

La fillette consulta sa montre.

Onze heures cinquante...

Pourquoi se sentait-elle aussi nerveuse ?

Ils débouchèrent enfin sur un chemin périphérique où les kiosques étaient plus modestes.

— Là ! dit soudain Éolia en reconnaissant la ruelle dans laquelle se trouvaient réunis de nombreux éditeurs étrangers.

— Les Éditions Marmara ?

Éolia craignait de revoir l'homme barbu que le colonel avait promis de faire surveiller. Mais il n'avait pas l'air d'être là. À sa place ils rencontrèrent une femme brune très sympathique qui parlait vite. Éolia lui fit une brève description du livre qu'ils cherchaient.

— Désolée, je ne travaille pas dans ce kiosque, répondit-elle en souriant. Le responsable m'a demandé de le remplacer pendant quelques minutes. Moi, je suis aussi éditrice, mais Égyptienne !

— Éolia !

La princesse remercia la femme, puis elle se tourna vers son ami.

— C'est ce livre-là, n'est-ce pas ?

La fillette prit le volume dans ses bras. Il était lourd. Elle reconnut aussitôt, sur la couverture au papier glacé, la statue *Esclave mourant*, de Michel-Ange. Par contre, le titre du livre la déçut énormément.

— *Trésors de la sculpture d'Orient et d'Occident des XIIIe, XIVe et XVe siècles*, lut Benjamin.

— Ce n'est pas le titre qui m'a été révélé en rêve.

Elle ferma les yeux et se concentra.

— Il me semble qu'il y avait le mot « code » ou « énigme », dedans.

Fâchée d'avoir aussi peu de mémoire, elle se rappelait néanmoins le numéro du stand : mille deux cent quatorze.

Les derniers mots prononcés par Bérangère avant qu'elle ne soit frôlée par une balle.

— Ah ! Vous voilà enfin ! s'exclama une voix pincée dans son dos.

Faisant volte-face, elle reconnut Madame Étiquette, le chignon à moitié défait, les joues rouges d'avoir trop couru.

— Vous ne perdez rien pour attendre !

Le ton aigre de sa voix dérangea plusieurs personnes. Apercevant Allan, l'officier britannique que le colonel avait chargé de la surveillance du roi, Éolia réalisa qu'ils étaient tout près du stand des éditeurs nénuciens. Si Allan se trouvait là, cela voulait dire que le roi y était également.

Stand mille deux cent quatorze..., se répéta Éolia, toujours aussi confuse.

Et, soudain, elle obtint sa réponse.

— Que tenez-vous là, comtesse? demanda-t-elle à sa gouvernante.

Celle-ci agitait un épais feuillet devant le nez de la fillette.

— C'est le dépliant officiel du Salon, précisa Benjamin sans comprendre où son amie voulait en venir.

Madame Étiquette se laissa prendre le feuillet des mains sans réagir. Éolia le déplia car la vieille dame, énervée de s'être égarée, s'en était servie comme éventail. Tenant le livret à deux mains, elle lut la quatrième de couverture.

— *Les énigmes de Michel-Ange!* s'écria-t-elle. Benjamin, regarde l'illustration de la couverture!

— Comment? fit la gouvernante en reniflant.

— La couverture! C'est la sculpture dont tu as rêvé! comprit Benjamin. Ce livre est le best-seller de l'année. Il s'est vendu à des millions d'exemplaires dans plus de trente pays!

Éolia repensa, en un flash, à ce jeune homme qui lisait le best-seller, dans la tour du stade olympique, ainsi qu'au reportage que les employés du consulat regardaient à la télévision.

— Je parie que le livre est exposé au stand mille deux cent quatorze ! clama Éolia, heureuse d'avoir enfin compris les indices que lui avait envoyés l'Ambassadeur de lumière.

— Heu, non, je ne crois pas, lui répondit Benjamin. Le livre a été publié par les Éditions de l'Atoll Bleu, en France, et le numéro de leur kiosque est le deux cent vingt.

La fillette fit une grimace. Quel était ce nouveau mystère ?

— L'auteur du livre est en séance de signatures en ce moment même, ajouta Benjamin.

Éolia frémit.

— Je me suis trompée. J'ai cru que le nombre mille deux cent quatorze correspondait au numéro du stand.

— Tu crois que...

Benjamin regarda sa montre.

— Il est midi cinq...

— Par la barbe de grand-père ! s'exclama Éolia. Dépêchons-nous !

11

12 h 14

Tirant Benjamin par la manche, Éolia s'élança dans les allées, direction le stand des Éditions de l'Atoll Bleu. La fillette était si énervée qu'elle ne voyait rien ni personne. Elle bouscula un couple, s'excusa, se remit à courir. Reconnaissant

Benjamin, un agent de sécurité leur emboîta le pas.

Allan avait identifié Éolia sous son déguisement. Après avoir consulté le roi du regard, il se mit, lui aussi, à courir derrière la princesse. Ce que redoutait tout agent de sécurité – un incident diplomatique – allait peut-être se produire !

Ne voulant pas se sentir de nouveau abandonnée, Madame Étiquette ramassa ses jupons et hâta le pas. Pourquoi ? Dans quelle direction ? Cela n'avait pas d'importance. Éolia était assurément sur le point de commettre une énorme bévue, et elle voulait être présente pour pouvoir, par la suite, faire son rapport à la princesse Sophie.

À l'intersection de deux allées, Allan faillit heurter un homme pressé. En reconnaissant le colonel, il s'écarta et renversa un présentoir de livres de recettes de cuisine. La comtesse eut un instant d'inattention, glissa sur un des livres et se retrouva par terre.

Midi dix...

Le cœur d'Éolia battait la chamade. Qu'allait-il se passer, au kiosque deux cent vingt, à midi quatorze ?

— Pourquoi n'ai-je pas compris plus tôt ? se reprocha-t-elle.

— Tu veux dire que ce nombre est en réalité une heure précise ?

— Midi quatorze ou minuit quatorze, répondit-elle en se souvenant de l'heure à laquelle elle s'éveillait toujours de ses rêves.

La file de gens qui attendaient une dédicace de l'auteur longeait le kiosque des Éditions de l'Atoll Bleu. Éolia contempla le logo rouge sur fond blanc en forme de livre ouvert, accroché au-dessus de sa tête. Elle évalua la foule à une centaine de personnes.

À chaque extrémité de la file se tenait un agent de sécurité délégué par le Salon du livre. Loin devant se trouvait l'auteur des *Énigmes de Michel-Ange,* assis derrière une table.

— Je me suis trompée deux fois, dit-elle à Benjamin, qui reprenait son souffle. Pour la signification du nombre et pour la victime. Ce n'est pas grand-père qui est visé...

Le garçon, à qui elle avait rapidement expliqué la situation durant leur traversée du Salon du livre, n'en croyait pas ses oreilles.

— Tu crois que quelqu'un va essayer de tuer l'auteur ! Mais comment ?

La question prit la princesse au dépourvu.

En s'approchant du kiosque, elle se heurta à une dame souriante de petite taille aux yeux pétillants vêtue d'un joli costume mauve pâle.

— Excusez-moi !

La dame se tourna vers un homme tout rond aux cheveux noirs coupés courts et aux yeux très bleus, qui portait une cravate jaune avec Mickey Mouse brodé dessus.

— Ce sont les propriétaires de la maison de distribution, lui souffla Benjamin, qui semblait connaître beaucoup de monde dans le milieu du livre.

À voir leur expression, ils étaient contents de recevoir un aussi prestigieux auteur à leur kiosque !

Ils risquent de sourire beaucoup moins si..., se dit Éolia.

Soudain, des flashes d'appareils photos se mirent à crépiter.

— Dagota ! s'exclama la princesse en se rappelant la suite de son dernier rêve. Viens !

Ahuri, Benjamin la suivit. Ils se faufilèrent à travers les fans jusqu'à l'auteur. Enfin, ils l'aperçurent. Un homme mince, d'allure sympathique, aux cheveux poivre et sel : Jonathan Bloom, l'auteur le plus célèbre de l'heure.

— Que cherches-tu ? lui demanda Benjamin tandis que plusieurs personnes, bousculées, fronçaient les sourcils.

À cinq pas devant eux, regroupés derrière un cordon de sécurité, les deux enfants virent une dizaine de journalistes et de photographes armés de leurs appareils.

Midi douze. Si l'Ambassadeur a raison et si le nombre de mes rêves signifie vraiment quelque chose...

Mais il n'était plus temps de penser. Il fallait agir.

La fillette repéra Ernest Dagota. De profil par rapport à elle, le paparazzi visait l'auteur avec son appareil photo.

Le sang d'Éolia ne fit qu'un tour.

— Il est armé ! s'écria-t-elle à Benjamin.

— Altesse ! l'apostropha soudain le colonel en apparaissant subitement à ses côtés.

— C'est Dagota et son faux appareil photo, colonel ! lui cria la fillette, les yeux fixés sur le paparazzi.

— Mais...

Regardant autour d'elle, Éolia eut une idée de génie...

Placés devant la table où signait l'auteur, les photographes le mitraillaient sans arrêt. L'un derrière l'autre, les fans attendaient leur tour.

— Altesse, mais que faites-vous...

Le colonel lança des ordres dans le micro miniature accroché à sa manche, mais il était déjà trop tard.

Sautant hors de la file d'attente, la fillette feignit de trébucher et entra en collision avec les deux mascottes en forme d'arbres géants qui passaient dans l'allée. Déséquilibrés sur leurs échasses, les arbres tombèrent sur le groupe de photographes.

À cette même seconde, plusieurs détonations sourdes retentirent au milieu des flashes aveuglants. On entendit des cris d'effroi, puis un énorme fracas de bois, de métal et de carton. En vingt secondes, le périmètre fut bouclé par les agents de la sécurité du Salon.

Désespéré, le colonel contempla l'ampleur des dégâts. Puis, saisissant la princesse par le poignet, il l'entraîna à l'écart…

Éolia, Benjamin et le colonel se retrouvèrent sur la terrasse sud, assis à une table donnant sur le Salon. Ils se regardaient en silence depuis quelques minutes.

L'officier soupira, puis il prit une gorgée de sa bière. Il contrevenait au règlement, mais l'émotion avait été telle qu'il avait décidé de s'offrir une petite récompense.

— Quel gâchis! déclara finalement Éolia.

— Pourquoi? objecta Benjamin. Personne n'a été blessé, ton geste courageux a sauvé Jonathan Bloom, et les agents de sécurité ont arrêté le faux Turc.

Éolia sourit en revoyant la scène: à moitié écrasé sous les deux énormes mascottes, sa barbe postiche pendant sur ses joues, l'agresseur tendait désespérément la main vers son arme maquillée en appareil photo. Deux paparazzis avaient également été coincés sous les arbres, dont Dagota qui s'était écrié : « Je vais porter plainte ! » en montrant le poing aux agents.

Les deux propriétaires du stand avaient passé de longues minutes à rassurer le célèbre auteur, qui avait eu le réflexe de se jeter à quatre pattes sous la table de signatures !

— Vous riez, tous les deux, intervint le colonel, mais si je ne vous avais pas tirés par la manche, vous seriez en train de vous expliquer avec les agents de sécurité !

Le microphone coincé dans son oreille bourdonna. Monsieur X écouta ce que lui disait Allan, qui était resté sur place pour répondre au personnel du Salon.

— Bien, merci, vous pouvez retourner auprès de Sa Majesté, lui répondit-il en plaçant sa manche devant sa bouche pour parler directement dans le micro-émetteur.

— Alors ? s'enquit Éolia.

— Alors, votre faux Turc est en train d'être interrogé par la police. Et il est aussi Nénucien que vous et moi !

— Sac à papier ! Mais pourquoi a-t-il voulu assassiner l'auteur ? demanda Benjamin, tout excité d'être mêlé à une aventure secrète de la princesse.

Le colonel haussa les épaules.

— Nous n'allons pas tarder à l'apprendre.

— Oh ! s'écria la fillette. L'heure avance, Ben. Et si nous préparions notre entrevue ?

— Ici ?

— Pourquoi pas ?

— Je crois plus sage, Benjamin, lui conseilla l'officier, de ne pas parler de cet incident pendant votre discussion devant les médias.

— Monsieur X, lui dit la fillette en riant, décidément, vous pensez à tout !

— À propos, rétorqua le colonel en se lissant la moustache, je me demande où peut bien être passée votre gouvernante !

À quinze heures précises, la place Bell était noire de monde. Sur l'estrade, on distinguait une grande table sur laquelle avaient été placés des microphones. Assis derrière, Benjamin Michaud semblait nerveux. C'était la première fois de sa vie qu'il allait parler devant un auditoire aussi vaste.

Il fixa tour à tour le public composé en majorité de jeunes. Sa tante, sa mère, son frère Simon ainsi que le roi de Nénucie étaient assis au premier rang. Après s'être raclé la gorge, il commença sur un ton hésitant :

— Mesdames et messieurs, je suis heureux d'accueillir notre jeune idole venue d'Europe, son Altesse, la princesse Éolia de Nénucie.

Il se leva. Dans l'assistance, les enfants et les adultes en firent autant. Une fillette toute blonde sortit alors des coulisses, monta les marches, salua la foule en souriant et vint serrer la main du jeune président du Club des amis et amies d'Éolia.

Les flashes des paparazzis crépitèrent. Les caméras de télévision en profitèrent pour faire un gros plan sur la princesse, mais aussi sur le roi, qui applaudissait fièrement sa petite-fille.

— Éolia, enchaîna Benjamin au micro, merci d'avoir accepté de venir au Salon du livre de Montréal.

— Je suis très contente de me trouver parmi vous, aujourd'hui !

Benjamin consulta ses notes d'une main tremblante. Au bistrot du Salon, il avait lu à Éolia les questions qu'il entendait lui poser. Mais à présent, la gorge sèche, il ne savait plus par laquelle commencer. Éolia sentit son hésitation et proposa :

— Et si nous commencions par le début ?

Benjamin leva la tête, s'adressa à l'assistance.

— Croyez-vous que l'on puisse rencontrer quelqu'un pendant un rêve, et voir ensuite cette personne dans la vraie vie ?

Un concert de réponses emplit la place Bell.

— Eh bien, c'est ce qui nous est arrivé, à Éolia et moi !

Il raconta le rêve qu'ils avaient fait ensemble, dans lequel Benjamin disait à la princesse qu'il venait de créer son Fan Club au Québec.

— C'est au cours de ce rêve que je lui ai donné mon adresse électronique, poursuivit Éolia.

— Je lui ai écrit dès mon réveil, le lendemain, et aujourd'hui, elle est à Montréal ! À propos, Éolia, comment aimes-tu le Québec ?

La fillette songea en un éclair au sourire pétillant de madame Sauvé, à la gaieté et à la simplicité de Benjamin.

— Je trouve que les gens, ici, sont très accueillants. Et puis, j'adore aller « magasiner », comme vous dites !

Il y eut quelques hourras et éclats de rires dans l'assistance. Benjamin avait conscience qu'il ne devait surtout pas parler des missions secrètes de la princesse. Elle avait promis de lui répondre en détail, plus tard, à ce propos. Cette seconde entrevue, réservée aux fans de la princesse, serait ensuite mise en ondes sur le site Internet de la princesse.

— Aimes-tu lire, Éolia?

En plein Salon du livre, cette question coulait de source!

— Je lis toujours deux ou trois livres en même temps.

— Ça tombe bien, car ici, il y en a des millions! En ce moment, quel est celui qui te passionne?

Elle faillit répondre *Les énigmes de Michel-Ange*, de Jonathan Bloom. Mais comme des millions de gens lisaient déjà ce livre, elle jugea que ce ne serait pas une réponse bien originale.

— Je lis un livre qui raconte les aventures d'une fée pas comme les autres qui voyage dans différents mondes parallèles. Elle est toute petite mais très intelligente. Et en plus, elle aime un garçon qui vit dans notre monde!

La fillette plissa soudain les yeux. Y avait-il un clown, dans l'assistance, debout avec les adultes dans les derniers rangs?

— Dis-nous, Éolia, sais-tu déjà ce que tu aimerais faire quand tu seras grande?

La jeune princesse savait, en tout cas, qu'elle ne voulait devenir ni chasseuse de baleines ni cuisinière à bord d'un cargo! Elle fixa son grand-père et déclara, lentement, en songeant que son ami l'Ambassadeur de lumière se trouvait peut-être réellement dans l'assistance:

— Je ne sais pas encore... Mais en tout cas, je veux faire quelque chose qui aidera les gens.

Benjamin se dit qu'elle était déjà dans la bonne voie. Le public applaudit, les caméras de télévision ne perdaient ni une parole ni une expression.

— Éolia, quel est ton pire cauchemar?

Elle aperçut Ernest Dagota, qui ne cessait de la prendre en photo, et faillit le montrer du doigt. Mais elle retint son geste, réfléchit deux secondes, et répondit:

— De me savoir prise dans une toile d'araignée gluante, comme dans les films d'horreur. Qu'il y ait plein d'araignées autour de moi, et qu'elles n'aient qu'une envie, celle de me prendre en photo!

Il y eut quelques grimaces dans l'assistance. Puis, la princesse ajouta:

— Mais j'ai un truc pour me réveiller de bonne humeur. J'imagine que je possède une baguette magique qui transforme toutes ces araignées en bulles de savon qui éclatent et se changent en papillons multicolores.

Ce coup-ci, ce fut au tour des photographes de grimacer, ce qui fit rire la foule.

Cette entrevue, Benjamin en était sûr, serait décisive pour lancer sa carrière de jeune journaliste…

12

Le mot d'Éolia

Quelle entrevue ! Benjamin était ravi. Sa tante était très fière de lui. Comme convenu, grand-père, toute l'équipe et moi, nous sommes allés le lendemain déjeuner chez le premier ministre du

Canada, dans sa maison à Ottawa. Nous avons été très bien reçus. Puis nous sommes rentrés en Ménucie.

Vous vous demandez sans doute comment cela s'est passé, ensuite, entre Benjamin et moi. Nous avons vécu tant d'aventures ensemble, en quelques jours ! Eh bien, je lui ai accordé une entrevue secrète et nous avons décidé de rester en contact. Il est aussi question qu'il vienne me voir, au palais.
Il faudra d'abord qu'il réussisse à convaincre sa mère, et ce sera à mon tour, cette fois, de lui faire découvrir Massora et la Ménucie.

Le colonel m'a dit dernièrement pourquoi le Ménucien déguisé en Turc voulait assassiner Jonathan Bloom.

Il lui en voulait à cause de ce qu'il avait écrit dans son livre et qui, apparemment, parlait contre sa religion. Mais c'est juste un roman ! Si vous voulez mon avis, je trouve qu'il y a des gens vraiment trop susceptibles !

Mais le plus surprenant, je l'ai compris en lisant la couverture arrière du best-seller de Jonathan Bloom. Je me demandais pourquoi l'Ambassadeur de lumière, qui est l'ange gardien de la Ménucie, m'avait chargée de cette mission à l'extérieur de notre pays. Eh bien, c'est tout simple. S'il écrit sous le pseudonyme de Jonathan Bloom, il s'appelle en réalité Daniel Noiret, et il est né en Ménucie !

Quelle histoire !

Contrairement à Madame Étiquette, qui est revenue avec un gros rhume, je vais garder un merveilleux souvenir de mon voyage et de mes aventures au Québec.

Et, parole d'Éolia, je vais y revenir !

À bientôt,
Lia de Nénucie

Le monde d'Éolia

Album de famille

Le prince Frédérik

C'est mon petit frère. Il a sept ans et il m'adore. Il est plutôt timide et sérieux. Quand il sera grand, ce sera lui, le roi. En attendant, il faut que je m'occupe de son éducation, sinon on risque d'avoir de sérieux problèmes !

La princesse Sophie

Maman est née en Hongrie. Toute petite, elle a été obligée de fuir son pays, et sa famille a été recueillie par grand-mère, ici, en Nénucie. C'est là qu'elle a rencontré le jeune prince héritier Henri, mon père. Belle et intelligente, constamment victime des paparazzis, maman ne rêve que d'une chose : devenir reine. Elle prend tellement de temps à s'y préparer qu'elle nous oublie, Frédérik et moi !

Le prince Henri

Héritier du trône, papa est très amoureux de maman. Son seul problème, c'est qu'il ne la comprend pas souvent. Alors pour se consoler, il fait pousser des roses. Mais il a un autre problème : il plaît beaucoup aux femmes. Ce n'est pas sa faute s'il est beau, charmant, et prince. Tant pis s'il bégaie, et que sa grande ambition est de devenir jardinier plutôt que roi !

Le roi Fernand-Frédérik VI

C'est mon grand-père. Il est au service du peuple. C'est un des seuls rois, en Europe, à avoir encore un trône solide sous ses fesses. La Nénucie est dirigée par un premier ministre, mais grand-père a son mot à dire sur ce qui se passe au pays. Très drôle avec ses uniformes de général et sa barbe bien taillée qui pique, il nous adore, Frédérik et moi.

La reine
Mireille de Vosigny

Grand-mère, c'est une reine très moderne. Elle fait du judo, du parachutisme et de la moto. Pleine d'énergie et de bonnes idées, elle surprend tout le monde en disant les choses comme elle les pense. On parle d'elle tous les jours dans les journaux, mais ça ne l'empêche pas de faire ses courses elle-même et de nous cuisiner des gaufres au miel et des galettes de sésame.

Monsieur X

De son vrai nom, Xavier Morano, c'est le chef des SSR, les services secrets du roi. Il est aussi le colonel de la garde du palais royal. Il est très attaché à ma famille, et surtout à moi. C'est lui qui m'a appris à me moquer des règlements idiots. Quand j'ai des rêves étranges, je lui en parle. Je sais qu'il m'écoute sans me prendre pour une fille gâtée et capricieuse.

C'est un véritable cauchemar ambulant. Elle croit que Dieu a créé l'étiquette et les règlements idiots, et elle agit comme si elle était Dieu. Toujours vêtue d'une robe sévère à collerette blanche, qui doit l'irriter atrocement, elle n'obéit qu'à maman. Elle me soupçonne de tout ce qui arrive de bizarre dans le palais. Souvent, elle a raison. Mais elle ne pourra jamais le prouver !

Il s'appelle en vérité Gontrand Berorian. Il est fils, petit-fils et arrière-petit-fils de domestiques. D'ailleurs, il est né au palais. C'est lui qui m'a appris comment me diriger dans les passages secrets alors que j'étais encore toute petite. Il m'apporte ma tisane, le soir, et il est toujours là pour m'aider à jouer un tour à Madame Étiquette.

Mélanie Duquesnoy

Mélanie a dix ans, comme moi. C'est ma grande amie secrète. Elle est la fille de la maquilleuse de la famille et vit dans les combles du palais. Les circonstances de notre rencontre sont notre secret. Avec une perruque blonde, des faux cils et un peu de maquillage, Mélanie me ressemble comme une sœur jumelle. Je lui demande parfois d'échanger de rôle avec moi. Ça m'aide beaucoup à mener mes enquêtes !

L'Ambassadeur de lumière

C'est un ange déguisé en clown. Enfin, c'est ce que je pense. C'est lui qui me contacte, pendant mes rêves, et me demande de l'aider. Ce qui m'entraîne dans des aventures parfois très compliquées. L'Ambassadeur dit être le protecteur de notre pays. Une sorte de gardien qui veille à ce que tout se passe bien. Et, il faut le croire quand il le dit, il a beaucoup de travail !

Royaume de Nénucie

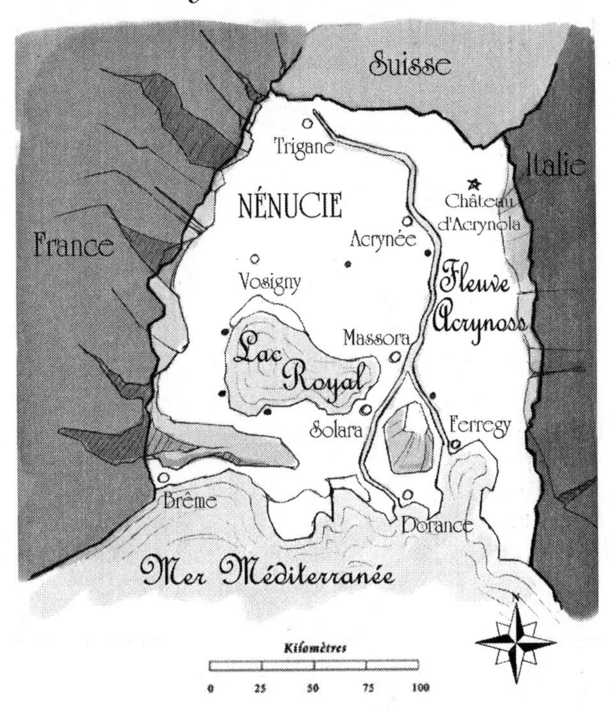

Quelques chiffres

Nom officiel : Royaume de Nénucie
Capitale : Massora
Monnaie : L'euro
Langue officielle : Le français
Chef de l'État : Le roi Fernand-Frédérik VI (depuis 1959)
Population (en 2006) : 5 355 000 habitants

Table des matières

Fredrick D'Anterny

C'est l'auteur que j'ai choisi pour qu'il écrive mes aventures. Il est né à Nice, en 1967. Il n'est donc ni trop vieux ni trop jeune. Et Nice, ce n'est pas loin de la Nénucie. Il me fallait quelqu'un de sensible, de drôle mais aussi de sérieux, qui saurait exactement raconter ce qui s'est passé et le dire de façon que ce soit passionnant à lire. Il habite Montréal, au Canada, où il a longtemps travaillé dans le monde du livre. Il écrit beaucoup, entre autres une autre série pour les jeunes (je suis jalouse !) qui s'appelle « Storine, l'orpheline des étoiles ». Mais au rythme où je vis mes aventures, je crois qu'il va devoir beaucoup s'occuper de moi ! Pour en apprendre davantage sur Éolia, consulte le site de l'auteur :

fredrickdanterny.com

Aussi parus dans la série

Éolia princesse de lumière

collection Papillon :

Le garçon qui n'existait plus, n° 122

Éolia n'a que trois jours pour sauver les enfants enlevés en Nénucie...

La forêt invisible, n° 123

Des arbres qui parlent, l'âme d'une poupée magique retenue en otage, un ministre impliqué dans une sale affaire...

Le prince de la musique, n° 124

Éolia n'a que cinq jours pour sauver la vie du jeune chanteur le plus populaire de la planète...

À venir en 2007 :

Les voleurs d'eau
La tour enchantée
Noël noir

Derniers titres parus dans la Collection Papillon

25. **Des matières dangereuses**
Clément Fontaine
26. **Togo**
Marie-Andrée et
Geneviève Mativat
27. **Marélie de la mer**
Linda Brousseau,
Prix littéraire Desjardins
1994 (traduit en anglais
et en italien)
28. **Roberval Kid et la ruée vers l'art**
Rémy Simard,
Prix du livre de fiction
de l'année 1994
29. **La licorne des neiges**
Claude D'Astous
30. **Pas de panique, Marcel!**
Hélène Gagnier
31. **Le retour du loup-garou**
Susanne Julien
32. **La petite nouvelle**
Ken Dolphin
33. **Mozarella**
Danielle Simard
34. **Moi, c'est Turquoise!**
Jean-François Somain
35. **Drôle d'héritage**
Michel Lavoie
36. **Xavier et ses pères**
Pierre Desrochers
37. **Minnie Bellavance, prise 2**
Dominique Giroux
38. **Ce n'est pas de ma faute!**
Linda Brousseau
39. **Le violon**
Thomas Allen
40. **À la belle étoile**
Marie-Andrée Clermont
41. **Le fil de l'histoire**
Hélène Gagnier
42. **Le sourire des mondes lointains**
Jean-François Somain
(traduit en japonais)
43. **Roseline Dodo**
Louise Lepire, finaliste au
Prix littéraire Desjardins
44. **Le vrai père de Marélie**
Linda Brousseau
45. **Moi, mon père...**
Henriette Major
46. **La sécheuse cannibale**
Danielle Rochette
47. **Bruno et moi**
Jean-Michel Lienhardt
48. **Main dans la main**
Linda Brousseau
49. **Voyageur malgré lui**
Marie-Andrée Boucher
Mativat
50. **Le mystère de la chambre 7**
Hélène Gagnier
51. **Moi, ma mère...**
Henriette Major

52. **Gloria**
Linda Brousseau

53. **Cendrillé**
Alain M. Bergeron

54. **Le palais d'Alkinoos**
Martine Valade

55. **Vent de panique**
Susanne Julien

56. **La garde-robe démoniaque**
Alain Langlois

57. **Fugues pour un somnambule**
Gaétan Chagnon

58. **Le Voleur masqué**
Mario Houle, finaliste au Prix du livre M. Christie 1999

59. **Les caprices du vent**
Josée Ouimet

60. **Serdarin des étoiles**
Laurent Chabin

61. **La tempête du siècle**
Angèle Delaunois

62. **L'autre vie de Noël Bouchard**
Hélène Gagnier, Prix littéraire Pierre-Tisseyre jeunesse 1998

63. **Les contes du calendrier**
Collectif de l'AEQJ

64. **Ladna et la bête**
Brigitte Purkhardt, mention d'excellence au Prix littéraire Pierre-Tisseyre jeunesse 1998

65. **Le collectionneur de vents**
Laurent Chabin

66. **Lune d'automne et autres contes**
André Lebugle, finaliste au Prix du livre M. Christie 2000

67. **Au clair du soleil**
Pierre Roy

68. **Comme sur des roulettes !**
Henriette Major

69. **Vladimirrr et compagnie**
Claudine Bertrand-Paradis, mention d'excellence au Prix littéraire Pierre-Tisseyre jeunesse 1998 ; Prix littéraire Le Droit 2000, catégorie jeunesse

70. **Le Matagoune**
Martine Valade

71. **Vas-y, princesse !**
Marie Page

72. **Le vampire et le Pierrot**
Henriette Major

73. **La Baie-James des « Pissenlit »**
Jean Béland

74. **Le huard au bec brisé**
Josée Ouimet

75. **Minnie Bellavance déménage**
Dominique Giroux

76. **Rude journée pour Robin**
Susanne Julien

77. **Fripouille**
Pierre Roy

78. **Verrue-Lente, consultante en maléfices**
Claire Daigneault

79. **La dernière nuit de l'*Empress of Ireland***
Josée Ouimet

80. **La vallée aux licornes**
Claude D'Astous

81. **La longue attente de Christophe**
Hélène Gagnier

82. **Opération Sasquatch**
Henriette Major

83. **Jacob Deux-Deux et le Vampire masqué**
Mordecai Richler

84. **Le meilleur ami du monde**
Laurent Chabin

85. **Robin et la vallée Perdue**
Susanne Julien

86. **Cigale, corbeau, fourmi et compagnie (30 fables)**
Guy Dessureault

87. **La fabrique de contes**
Christine Bonenfant

88. **Le mal des licornes**
Claude D'Astous

89. **Conrad, le gadousier**
Josée Ouimet

90. **Vent de folie sur Craquemou**
Lili Chartrand

91. **La folie du docteur Tulp**
Marie-Andrée Boucher Mativat et Daniel Mativat

92. **En avant, la musique !**
Henriette Major

93. **Le fil d'Ariane**
Jean-Pierre Dubé

94. **Charlie et les géants**
Alain M. Bergeron

95. **Snéfrou, le scribe**
Evelyne Gauthier

96. **Les fées d'Espezel**
Claude D'Astous

97. **La fête des fêtes**
Henriette Major

98. **Ma rencontre avec Twister**
Sylviane Thibault

99. **Les licornes noires**
Claude D'Astous

100. **À la folie !**
Dominique Tremblay

101. **Feuille de chou**
Hélène Cossette

102. **Le Chant des cloches**
Sonia K. Laflamme

103. **L'Odyssée des licornes**
Claude D'Astous

104. **Un bateau dans la savane**
Jean-Pierre Dubé

105. **Le fils de Bougainville**
Jean-Pierre Guillet

106. **Le grand feu**
Marie-Andrée Boucher Mativat

107. **Le dernier voyage de Qumak**
Geneviève Mativat

108. **Twister, mon chien détecteur**
Sylviane Thibault

109. **Souréal et le secret d'Augehym Ier**
Hélène Cossette

110. **Monsieur Patente Binouche**
Isabelle Girouard

111. **La fabrique de contes II**
Christine Bonenfant

112. **Snéfrou et la fête des dieux**
Evelyne Gauthier

113. **Pino, l'arbre aux secrets**
Cécile Gagnon

114. **L'appel des fées**
Claude D'Astous

115. **La fille du Soleil**
Andrée-Anne Gratton

116. **Le secret du château de la Bourdaisière**
Josée Ouimet

117. **La fabrique de contes III**
Christine Bonenfant

118. **Cauchemar à Patati-Patata**
Isabelle Girouard

119. **Tiens bon, Twister !**
Sylviane Thibault

120. **Coup monté au lac Argenté**
Diane Noiseux

121. **Snéfrou et le joyau d'Amon-Râ**
Evelyne Gauthier

122. **Le garçon qui n'existait plus**
Fredrick D'Anterny

123. **La forêt invisible**
Fredrick D'Anterny

124. **Le prince de la musique**
Fredrick D'Anterny

125. **La cabane dans l'arbre**
Henriette Major

126. **Le monde du Lac-en-Ciel**
Jean-Pierre Guillet

127. **Panique au Salon du livre**
Fredrick D'Anterny

128. **Les malheurs de Pierre-Olivier**
Lyne Vanier

Ginette Anfousse

Après des études à l'École des beaux-arts de Montréal, Ginette Anfousse dessine pour la télévision, les magazines et les journaux. Puis elle se met à illustrer ses propres albums pour les tout-petits. Elle crée alors les personnages de Jiji et Pichou. Pour la première fois, elle écrit de courts textes pour accompagner ses illustrations. Depuis, elle est devenue écrivaine.

À la courte échelle, Ginette Anfousse est l'auteure de la série d'albums Polo Pépin. Elle a aussi écrit la série Arthur, publiée dans la collection Premier Roman, et la célèbre série Rosalie, publiée dans la collection Roman Jeunesse.

Ginette Anfousse a très souvent été mise à l'honneur pour ses textes et ses illustrations. Le prix Fleury-Mesplet, qui lui a été décerné en 1987, la consacrait meilleure auteure jeunesse des dix dernières années au Québec. Plusieurs de ses livres sont traduits en langues étrangères: on peut lire la série Rosalie en anglais, en grec, en allemand, en italien, en espagnol et en chinois.

Marisol Sarrazin

Marisol Sarrazin a grandi dans les Laurentides, entourée de ses parents qui dessinaient et écrivaient. Sculpture, mise en scène, théâtre, cinéma, danse, Marisol a touché à tout avec succès avant de se consacrer à l'illustration. Elle a étudié en design graphique à l'UQAM et elle se passionne pour toute forme de communication visuelle.

Marisol Sarrazin rencontre des groupes de jeunes dans les écoles. Ses ateliers d'animation sont toujours très vivants et truffés d'anecdotes! Saviez-vous, par exemple, que sa mère, Ginette Anfousse, s'est inspirée d'elle pour créer les personnages de Jiji et de Rosalie? À la courte échelle, Marisol Sarrazin illustre les albums de la série Polo, aussi écrite par Ginette Anfousse.

De la même auteure, à la courte échelle

Collection
Tout carton

Série Polo Pépin:
Polo et l'anniversaire
Polo et le panier de fruits
Polo à la ferme
Polo et la musique

Collection Albums

Série Jiji et Pichou:
Mon ami Pichou
La cachette
La chicane
La varicelle
Le savon
L'hiver ou le bonhomme Sept-Heures
L'école
La fête
La petite soeur
Je boude
Devine?
La grande aventure
Le père Noël

Série Polo Pépin:
Polo et le Roulouboulou
Polo et le garde-manger
Polo et l'écureuil volant

Collection
Premier Roman

Série Arthur:
Le père d'Arthur
Les barricades d'Arthur
Le chien d'Arthur

Collection
Roman Jeunesse

Série Rosalie:
Les catastrophes de Rosalie
Le héros de Rosalie
Rosalie s'en va-t-en guerre
Les vacances de Rosalie
Le grand rêve de Rosalie
Rosalie à la belle étoile
Le grand roman d'amour de Rosalie

Collection Ado
Un terrible secret

Ginette Anfousse

LA GRANDE FROUSSE DE ROSALIE

Illustrations
de Marisol Sarrazin

la courte échelle

Les éditions de la courte échelle inc.
5243, boul. Saint-Laurent
Montréal (Québec) H2T 1S4

Conception graphique de la couverture:
Elastik

Conception graphique de l'intérieur:
Derome design inc.

Mise en pages:
Pige communication

Révision:
Sophie Sainte-Marie

Dépôt légal, 3e trimestre 2005
Bibliothèque nationale du Québec

La courte échelle reconnaît l'aide financière du gouvernement du Canada par l'entremise du Programme d'aide au développement de l'industrie de l'édition pour ses activités d'édition. La courte échelle est aussi inscrite au programme de subvention globale du Conseil des Arts du Canada et reçoit l'appui du gouvernement du Québec par l'intermédiaire de la SODEC.

La courte échelle bénéficie également du Programme de crédit d'impôt pour l'édition de livres – Gestion SODEC – du gouvernement du Québec.

Données de catalogage avant publication (Canada)

Anfousse, Ginette

La grande frousse de Rosalie

(Roman Jeunesse; RJ139)

ISBN 2-89021-749-3

I. Sarrazin, Marisol. II. Titre. III. Collection.

PS8551.N42G724 2005 jC843'.54 C2005-940978-9
PS9551.N42G724 2005

Imprimé au Canada

Prologue

Je venais tout juste de gagner la médaille d'or au tournoi annuel de géographie de mon école. C'est Marie-Andrée Gagnon, notre nouvelle professeure de géographie, qui l'avait organisé.

J'ai répondu à des dizaines de questions sur la formation de notre planète et plus particulièrement sur les grandes catastrophes qu'elle avait subies. Mais c'est avec une petite question sur le continent australien que j'ai battu ma meilleure amie. C'est là que Pierre-Yves Hamel, mon amoureux, est parti pour trois interminables semaines.

Enfin, Julie Morin, elle, a gagné la médaille d'argent. Pour une fois que je la

dépassais en quelque chose… ce n'était pas rien.

J'avais tellement envie d'en parler à quelqu'un qu'en revenant de l'école j'ai foncé directement à la cuisine en lançant, médaille autour du cou:

— Tante Alice, tu ne devineras jamais!

D'habitude, il n'y a qu'elle à la maison, le vendredi après-midi. Les autres travaillent à l'extérieur. Aujourd'hui, six de mes sept tantes étaient assises autour de la table. Et c'est à peine si elles ont levé le bout du nez avant de le remettre immédiatement dans leur tasse de café.

J'ai dit, vexée:

— O.K. Si c'est comme ça, vous ne le saurez JAMAIS!

J'ai mis la médaille dans ma poche. J'ai fait semblant de tourner les talons, certaine que l'une d'elles, au moins, m'arrêterait au passage. Les six se sont recroquevillées vers le centre de la table et ont commencé à chuchoter comme si elles étaient dans une église et qu'elles allaient prier.

Il se passait quelque chose de grave, de très grave à la maison. J'ai grimpé l'escalier et filé directement dans ma chambre.

Chapitre I
Comme un tremblement de terre

Charbon, mon chat, dormait dans son panier. Je me suis approchée pour le caresser. Il n'a pas ronronné, ni bougé la queue, ni même ouvert les yeux. J'ai compris qu'il ne voulait rien savoir, lui non plus. Puisque l'atmosphère de la maison n'était pas à la rigolade, je me suis installée au bout du corridor pour appeler ma meilleure amie.

J'ai chuchoté dans l'appareil:

— C'est moi… Si je parle à voix basse, c'est qu'il se passe quelque chose de grave avec mes tantes.

— Grave comment, Rosalie Dansereau?

— Grave comme GRAVE, Julie Morin.

Évidemment, ça ne lui disait rien qui vaille, alors j'ai précisé:

— Grave comme un tremblement de terre de 6,7 à l'échelle de Richter.

Et pour qu'elle comprenne vraiment, j'ai ajouté:

— Je n'ai jamais vu mes tantes quitter leur travail et se retrouver à la maison, un vendredi après-midi. Elles semblaient drôlement à l'envers, aussi.

Julie a répondu, pas très gentiment, que j'avais la mémoire courte. Que les petites réunions n'étaient pas rares sur le boulevard Saint-Joseph. Qu'elles avaient lieu à chacune de mes bêtises.

J'ai répliqué que, depuis une quinzaine de jours, j'avais de très bonnes notes à l'école. Qu'à la maison je n'avais fait ni gaffe, ni fugue, ni rien. Que c'était plate, mais j'étais devenue une sapristi de mocheté de fille parfaite.

J'ai perçu un rire moqueur. Comme si je n'avais rien entendu, j'ai continué:

— Peut-être que tante Diane ou tante Béatrice a perdu encore une fois son amoureux!

Elle a marmonné, agacée:

— Les peines d'amour, Rosalie Danse-reau, c'est tout juste du 2,2 à l'échelle de Richter.

J'ai demandé, mi-figue, mi-raisin:

— Et ce serait combien, Julie Morin, si tante Gudule perdait son salon de beauté de la rue Papineau? Tante Élise, sa chaire de recherche sur les orangs-outangs à l'Université de Montréal? Tante Colette, son premier grand rôle à la télévision?

Elle s'est mise à soupirer comme une bouilloire avant de me lancer, comme si j'étais la dernière des mochetés:

— Tu exagères, Rosalie Dansereau. Tu exagères toujours, d'ailleurs. Tu as trop peu d'indices et bien trop d'imagination pour aboutir à une conclusion. Ça paraît que ton amoureux est parti en voyage à l'autre bout de la planète. Tu as beaucoup trop de temps pour inventer. Beaucoup trop de temps pour divaguer!

Je ne voyais pas ce que Pierre-Yves Hamel avait à voir avec mes divagations. Ce que je voyais, c'est que Julie avait quelque chose de gros sur le coeur. Quelque chose comme la médaille d'or qu'elle aurait dû gagner. Dépitée, j'ai dit:

— Quand on raconte à sa meilleure amie qu'il se passe quelque chose de GRAVE, Julie Morin, on ne veut pas se faire répondre que l'on DIVAGUE.

Je n'aurais peut-être pas dû ajouter que c'était la jalousie, la sapristi de mocheté de jalousie qui la poussait à dire des niaiseries. Elle m'a raccroché au nez.

L'écho a résonné un long moment dans ma tête. Un peu comme un tremblement de terre quand les édifices s'écroulent, que les routes se lézardent et que la poussière prend une éternité à retomber.

J'ai raccroché à mon tour. J'ai sorti la médaille de ma poche. Elle n'était pas en or véritable, mais je l'ai frottée longtemps pour la voir briller. Je l'ai glissée sous mon oreiller. Après, histoire de changer d'air et malgré les lourds nuages gris qui filaient vers l'est, je suis allée faire un petit tour sur le boulevard.

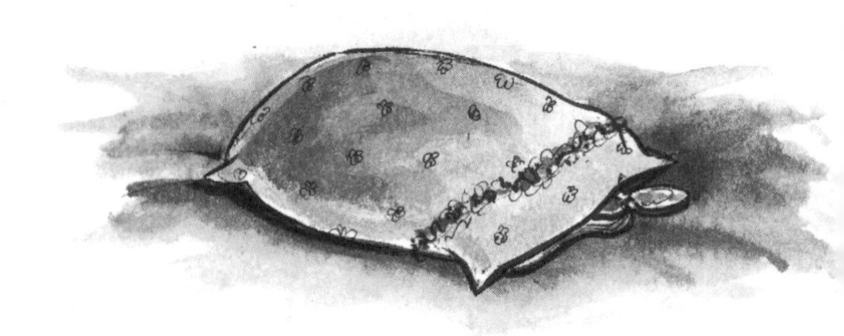

Chapitre II
Seule comme toute seule

Vers dix-sept heures, je suis revenue à la maison. Mes tantes avaient disparu. Au milieu de la table, il y avait un mot:

Ma pauvre Rosalie, on t'a cherchée partout. On a dû partir en vitesse. Il y a une portion de pâté chinois pour toi dans le réfrigérateur. Tu n'as qu'à la mettre au micro-ondes. On sera de retour vers dix-neuf heures. Tu peux regarder la télé et manger tous les biscuits au chocolat que tu voudras.

Elles avaient ajouté des bisous. Des coeurs. Des «On t'aime» comme quand j'étais bébé et qu'elles imaginaient une entourloupette pour me faire accepter une sapristi de mocheté de gardienne.

Je me suis demandé quelle sorte de mauvais tour elles manigançaient aujourd'hui. Le mot était signé par Alice, Béatrice,

Diane, Élise, Florence et Gudule.

Finalement, j'ai décidé de laisser tomber leur pâté chinois. Je me suis préparé un maxi-baril de maïs soufflé. Je me suis installée au salon, devant la télé.

Une heure plus tard, toutes les chaînes présentaient les nouvelles de la journée. J'en ai profité pour me faire un deuxième baril de maïs soufflé en espérant l'engloutir avant le retour de mes tantes. Il était dix-huit heures trente quand le téléphone a sonné.

C'était tante Alice. Elle a dit, avec sa petite voix traînante des mauvais jours:

— C'est moi, mon poussin!

Il y avait des lunes qu'elle ne m'avait pas appelée mon poussin.

Elle a continué:

— On arrivera beaucoup plus tard que prévu. On pensait que tu devrais inviter quelqu'un à la maison pour te tenir compagnie.

J'ai répliqué qu'à onze ans et demi j'étais assez grande pour me garder toute seule.

Mon ton était peut-être un peu trop mordant. Alice a cru bon de me passer tante Béatrice.

Celle qui mène tout le monde par le bout du nez a tellement insisté pour que j'invite ma meilleure amie que j'ai promis. Même si je n'avais absolument pas l'intention d'inviter Julie Morin. J'allais raccrocher quand elle a soupiré:

— Merci, mon coeur.

Puis:

— Ne t'inquiète pas.

Puis:

— On t'aime, surtout.

Décidément, mes tantes m'aimaient beaucoup, aujourd'hui.

Après ce drôle de coup de téléphone, j'ai pensé à Pierre-Yves. C'est lui, normalement, que j'aurais appelé. Lui qui aurait passé toute la soirée avec moi... si madame sa mère n'avait pas décidé, en pleine période scolaire, d'emmener son fils unique au pays des kangourous et des wallabies. Je me suis donc rabattue sur Marise Cormier.

Je suis mal tombée. Marise venait d'avoir une terrible engueulade avec ses parents et pleurait comme un veau. Elle aurait versé assez de larmes pour remplir le lac Champlain, le lac Huron et le lac Érié si je ne lui avais pas dit:

— On en reparlera demain!

Pour me remettre de mes émotions, j'ai vidé la moitié de mon deuxième baril de maïs soufflé. Puis j'ai téléphoné chez Marco Tifo. Il venait de partir en vélo pour une randonnée avec Kan Shou Li. Kan Shou, c'est sa nouvelle blonde et la troisième de mes meilleures amies. Après, il ne restait que Marie-Ève Poirier pour me tenir compagnie.

Je n'avais pas très envie de lui parler. Depuis son retour de la Californie, il s'était produit pas mal de choses moches entre nous. Malgré tout, j'ai pris mon courage à deux mains et j'ai composé le numéro de son cellulaire personnel.

Marie-Ève Poirier a des parents modernes, elle. Pas des Cro-Magnons comme mes sept tantes qui ont refusé mordicus de m'offrir un cellulaire, et pour Noël, et pour mon dernier anniversaire de naissance. Quand j'y réfléchis, il n'y a même pas de répondeur à la maison.

Enfin, ça a été le coup de fil le plus rapide de ma vie. Je l'avais à peine invitée qu'elle a répondu que c'était super niaiseux et «*out* à mort» de regarder la télé en mangeant du *pop-corn*. Qu'*anyway* elle

avait mieux à faire un vendredi soir. Elle a dit *bye!* et elle a raccroché.

Je suis restée une patte en l'air, avec la sapristi de mocheté d'impression d'être rejetée par une bonne partie de l'humanité. Ça m'a coupé l'appétit net. J'ai jeté le maïs soufflé dans la poubelle. J'ai fermé la télé.

Chapitre III
Un petit tour dans leur chambre

Il était vingt heures pile. On était toujours vendredi. Il y avait une éternité que je tournais en rond, toute seule dans la maison, mais il n'était pas question que je téléphone à qui vous savez.

Ce qui me chicotait le plus, c'est que, pour la première fois de leur vie, mes tantes me cachaient quelque chose. Quelque chose d'important, j'imagine. Quelque chose que je finirais bien par trouver, même si les indices me semblaient aussi rares, pour l'instant, que ceux qui expliquent la disparition des dinosaures.

Pour commencer, j'ai décidé d'aller faire un petit tour dans leur chambre. Je savais bien qu'elles détestaient, toutes les sept, me voir fouiner dans leurs affaires, surtout Béatrice. Ça leur apprendrait!

J'ai monté l'escalier sur la pointe des pieds. Je me suis demandé pourquoi. À part Charbon, il n'y avait pas un chat dans la maison. J'ai poussé la première porte à droite. Celle de la chambre de tante Alice.

La pièce, comme toujours, sentait la menthe, le camphre et la vanille. Sur la table de nuit, l'encyclopédie culinaire de Jehane Benoit était ouverte à la page: *Lait de poule et autres bouillons pour grands malades*.

Quelqu'un dans la maison avait peut-être attrapé un virus ou un microbe?

J'ai fouillé tous ses tiroirs, son bahut et son placard. Puisqu'il n'y avait rien d'autre de spécial, j'ai continué dans la chambre de Béatrice.

J'ai regretté de ne pas avoir enfilé des gants. On ne sait jamais avec les empreintes digitales. Béatrice est si méfiante. Pire qu'un espion du FBI ou du KGB.

Avec mille précautions, j'ai réussi, sans déplacer un poil, à inspecter le dessous de son lit, son bureau, ses armoires et sa penderie. À part le calendrier d'une agence de voyages épinglé sur le babillard, je n'ai rien trouvé de particulier.

Ni vu ni connu, je me suis rendue dans la chambre de tante Diane. J'ai remarqué tout de suite que la photo de Mario Surprenant avait été remplacée par celle de

Luigi Capelli, son nouvel amoureux. Il est policier à la Sûreté du Québec. Tante Diane répète:

— Il n'a jamais chanté l'opéra, jamais fait de pizza ni de spaghetti.

Je me demande pourquoi.

Enfin, j'ai aperçu une pile de revues de robes de mariée. C'était peut-être du mariage de tante Diane, finalement, que mes tantes discutaient si sérieusement dans la cuisine, cet après-midi.

J'ai refermé la porte en songeant que la maison ne serait plus comme avant si une de mes tantes la quittait pour toujours. Perplexe, j'ai poursuivi ma tournée chez tante Élise.

Elle étudie le comportement des orangs-outangs à l'université. Sa chambre est bourrée de livres savants, ses murs de photos de singes très évolués. Des fois, elle les appelle «mes enfants». Disons que je n'ai pas aimé voir ma photo au milieu de sa sapristi de mocheté de ménagerie. J'ai fait demi-tour. J'ai continué chez tante Florence.

Contrairement à ses habitudes, tante Flo avait laissé traîner toutes ses affaires de magie au milieu de son lit: son jeu de tarot, sa boule de cristal, ses poupées vaudou.

Bref, tout son attirail pour communiquer avec les morts. Il commençait à faire noir et, sans raison précise, je me suis mise à frissonner, à penser à de vilaines choses.

J'ai filé vitesse grand V chez tante Gudule. Elle est tellement moins compliquée. Et, comme je m'y attendais, je n'ai trouvé dans sa chambre que des petits pots d'onguent, de crème, de gel, de lait hydratant, démaquillant et émulsionnant. J'ai trotté vers la septième et dernière chambre à fouiller, celle de tante Colette.

Chapitre IV
Ma tante préférée

La chambre de tante Colette est située au fond du corridor et donne sur un petit balcon qui, lui, donne sur la ruelle derrière le boulevard. Avant d'entrer, j'ai remarqué un rai de lumière sous la porte. Tante Colette avait encore laissé ses lumières allumées.

Ça lui arrive souvent. Si souvent que certaines de mes tantes prétendent que c'est parce qu'elle est une artiste et que les artistes ont toujours la tête ailleurs. Tante Béatrice raconte qu'elle a une cervelle d'oiseau. Moi, je pense que tante Béatrice est jalouse. Aussi jalouse que Julie Morin.

C'est facile de deviner pourquoi. On aperçoit tante Colette partout!

On la voit sur les panneaux publicitaires, sur les autobus, dans le métro, dans les journaux, à la télé. C'est à cause de son personnage de Solange dans la télésérie *Solange et ses amis*.

Elle joue le rôle d'une directrice d'école aimée par tout le monde. Curieusement, ce personnage n'est pas toujours commode. La semaine dernière, par exemple, Solange a fait un sermon terrible à de pauvres élèves de troisième secondaire pour une ridicule question vestimentaire. Dans la réalité, tante Colette n'est pas comme ça. Elle est beaucoup plus tolérante.

Elle reçoit, toutes les semaines, des dizaines de lettres d'admirateurs qui veulent un autographe, un conseil, une photo. Certains sont même en amour avec elle. Je comprends, elle est tellement belle. Tellement bien habillée. Tellement bien maquillée.

Malgré tout, tante Colette dit que c'est parfois embêtant d'être une vedette de la télé. Je me demande pourquoi.

Enfin, c'est seulement à Julie Morin que j'ai raconté que Colette est ma tante préférée. Celle qui doit ressembler le plus à ma vraie mère qui, elle, est morte quelques semaines après ma naissance, dans un terrible accident d'avion.

Je sais, moi, qu'elle a une tête sur les épaules. La preuve: elle voulait devenir la meilleure comédienne des temps modernes

et elle l'est devenue! Pour lui éviter une série de reproches, j'ai décidé qu'après ma petite inspection j'éteindrais toutes les lumières de sa chambre.

J'ai tourné la poignée, l'ai secouée de toutes mes forces. La porte était fermée à clé. Déçue, je suis descendue à la cuisine.

Je suis remontée cinq minutes plus tard avec un tirebouchon, une aiguille à tricoter et un petit couteau à légumes. C'est avec

la lame du petit couteau que la serrure s'est finalement laissé forcer.

J'ai poussé la porte. Je suis restée sur le seuil, les bras ballants, la bouche ouverte. Et je me suis mise à trembler.

Chapitre V
Un maniaque dans la maison

Toute la pièce était sens dessus dessous, comme si une tempête, un ouragan, un volcan avait bouleversé sa chambre. L'immense affiche de Charlie Chaplin était déchirée. La collection de masques en porcelaine, fracassée. Les livres de théâtre, les vêtements, les bijoux, la trousse de maquillage et les photos d'actrices, renversés et éparpillés sur le plancher.

J'ai reculé jusqu'à l'escalier. Je l'ai presque déboulé. J'ai foncé sur le téléphone de la cuisine. Le coeur battant, j'ai appelé Julie.

C'était occupé. J'ai recommencé. Recommencé. Recommencé.

Mon coeur cognait si fort, maintenant, que je me suis mise à pleurer. Comme une fontaine. Comme un bébé. J'ai tenté de prendre de longues respirations, comme tante Flo quand elle fait son yoga. J'y étais presque arrivée quand j'ai entendu le premier coup de sonnette à la porte d'en avant.

Je me suis précipitée pour ouvrir, puis je me suis figée net. C'était peut-être le fou, le maniaque qui avait causé le saccage dans la chambre de tante Colette.

Je me suis accroupie. Je suis restée là, à écouter la sonnette sur laquelle on appuyait tellement que je n'avais plus aucun doute sur le caractère dément de la personne qui voulait entrer.

J'ai espéré de toutes mes forces que le détraqué, le fou, le maniaque n'aurait pas l'idée de défoncer la porte, de fracasser la vitre, de pénétrer dans la maison pour, pour me...

Il a fini par se décourager. La sonnette s'est tue. J'ai commencé à me détendre. Pas longtemps, cependant.

Au-dessus de ma tête, à l'étage, j'ai entendu le parquet craquer. Puis une série de glissements, comme quelqu'un qui marchait sur ses bas. Quelqu'un qui connaissait assez bien la maison pour se diriger facilement. Quelqu'un qui, maintenant, descendait l'escalier.

J'ai rampé vers la cuisine. Je me suis cachée dans l'armoire à balais. Le porte-

poussière dans une main et la vadrouille dans l'autre, j'ai attendu en retenant mon souffle. Puis, au bout d'une éternité, le fou, le maniaque, le détraqué s'est mis à… MIAULER. Puis à RONRONNER aussi fort que le moteur diesel de la nouvelle auto de tante Gudule.

Quand Charbon s'est approché suffisamment, je l'ai attrapé par la peau du cou. Je l'ai un peu secoué. Puis je me suis remise à pleurer encore une fois comme une fontaine, encore une fois comme un bébé.

C'est en remettant mon chat sur ses pattes que j'ai repensé au cellulaire de Marie-Ève Poirier. Celui sur lequel elle jurait qu'on pouvait la joindre vingt-quatre heures sur vingt-quatre. Malgré tout ce que je pensais d'elle, je me suis ruée sur le téléphone. J'ai composé le numéro et je suis tombée sur le message qui demandait justement de laisser un message.

Je n'ai rien laissé du tout, j'ai rappelé mon amie Julie. À la première sonnerie, par miracle, cette fois, elle a répondu. J'ai senti tout de suite qu'elle n'avait pas sa voix normale. Elle était surexcitée. Elle a dit:

— Ça fait presque une heure que j'essaie de te joindre. Je suis même allée chez toi. J'ai sonné comme une folle. Tu étais paralysée ou quoi?

Mes nerfs ont lâché d'un coup. Après avoir tant pleuré, j'ai ri, ri, ri sans pouvoir m'arrêter.

Je me suis arrêtée seulement quand ma meilleure amie a menacé de me raccrocher au nez. Après, j'ai raconté, allez savoir pourquoi, que j'étais au téléphone avec

Marie-Ève Poirier. Que j'étais toute seule à la maison. Que quand j'ai couru lui ouvrir, pfft! elle avait disparu.

Ensuite, j'ai trouvé un peu étrange qu'elle me demande si j'avais regardé les nouvelles à la télé. J'ai failli lui dire que, le vendredi soir, j'avais mieux à faire. Avec tout ce qui venait de se passer, je me suis ravisée.

J'allais lui proposer de revenir le plus vite possible, mais c'est elle qui a lancé, avant de raccrocher:

— Surtout, Rosalie Dansereau, ne bouge pas, j'arrive!

Après, j'avais les jambes un peu moins en guenille, le cerveau un peu moins en compote. J'ai ouvert toutes les lumières du rez-de-chaussée. J'ai pris Charbon dans mes bras et je suis allée guetter à la porte d'entrée.

Chapitre VI
Un pas rigolo au téléphone

J'ai regardé la pluie qui commençait à mouiller le boulevard, les lampadaires qui éclairaient en kaléidoscope la chaussée.

D'un coup, les dernières feuilles du vieil érable à côté de la maison se sont envolées. La pluie s'est mise à tomber en rafales. Deux femmes, au même moment, ont perdu leur parapluie. Ils volaient, culbutaient, poussés par le vent, au milieu de la rue. Les voitures, phares allumés, roulaient maintenant au ralenti.

Puis un individu plutôt grand, plutôt gros, plutôt louche s'est immobilisé une dizaine de secondes devant la maison. J'ai pensé immédiatement à qui vous savez. Il

avait la tête enfouie dans le col de son imperméable pour éviter, c'est certain, qu'on le reconnaisse.

J'aurais pu jurer qu'en partant il a fait un petit signe dans ma direction. J'ai frissonné de la tête aux pieds, je me suis collée sur le mur en espérant de toutes mes forces que ma meilleure amie arrive au plus vite.

Elle est arrivée à l'instant où je suppliais mon père et ma mère, dans leur ciel, de m'empêcher de perdre les pédales.

Et, parce qu'il y a des jours où tout se change en tragédie, un éclair suivi d'un BANG! de fin du monde a ébranlé la maison. Tout est devenu noir autour de nous, dans la maison, sur le boulevard, dans le quartier.

J'ai lâché Charbon, attrapé Julie par la manche, fermé la porte en vitesse, tiré le loquet, glissé la chaînette. Après, seulement après, j'ai demandé:

— As-tu rencontré quelqu'un?

Elle a secoué son parapluie avant de répondre que, par un temps pareil, il n'y a pas un chat qui oserait se promener dans la rue.

Ensuite, elle a sorti une lampe de poche. Pas qu'elle soit voyante, ni rien, mais ma meilleure amie avait entendu aux nouvelles qu'on prévoyait des orages assez violents dans la soirée.

J'ai pensé qu'on avait plutôt affaire à une tornade! À un ouragan! À un typhon! Mais pour ne pas me faire accuser encore une fois d'exagération, je n'ai rien dit.

Julie a balayé le corridor avec sa lampe de poche. Elle éclairait tantôt le plafond, tantôt les murs, tantôt le parquet. Nos ombres s'étiraient, se dédoublaient. C'était sinistre à mort. J'ai poussé Julie vers la cuisine. Il me semblait qu'avec un éclairage aux chandelles la maison serait moins épeurante.

Tassées l'une contre l'autre, on a fouillé en vain le garde-manger, les armoires, les tiroirs.

Je savais que, pour ses séances de magie, tante Florence utilisait des lampions et des bougies en quantité hallucinante. Puisque je n'avais absolument pas l'intention de remettre les pieds là-haut, je me suis plutôt laissée glisser sur une chaise en soufflant:

— On oublie les chandelles et on attend mes tantes. Elles finiront bien par arriver.

C'est là que Julie a marmonné quelque

chose qui m'a mis la puce à l'oreille.

— Ça pourrait leur prendre beaucoup plus de temps qu'on pense!

Quand j'ai voulu savoir pourquoi, elle a finassé, fait des simagrées, tourné autour du pot. Puis le téléphone s'est mis à sonner.

Certaine que c'était l'une de mes tantes, j'ai attrapé la lampe de poche et je me suis précipitée sur l'appareil.

— Allô!

Comme personne n'a répondu, j'ai demandé:

— Il y a quelqu'un?

J'ai répété ma question une fois, deux fois, trois fois, puis la communication a été coupée.

J'ai dit, déçue:

— Encore une sapristi de mocheté d'innocent qui ne sait pas composer!

Quelques secondes plus tard, le téléphone s'est remis à sonner.

J'ai redit allô. Exaspérée, j'ai l'ai répété quinze fois au moins! Au bout du fil, j'entendais des bruits, puis quelqu'un qui respirait. Quelqu'un qui, décidément, n'avait pas l'intention de dire un mot. Julie m'a enlevé l'appareil pour lancer, écoeurée:

— Ce n'est pas le moment de faire des farces plates. C'est déjà assez capotant d'être plongées dans le noir. Si vous avez quelque chose à dire, dites-le immédiatement. Sinon je compte jusqu'à trois, je raccroche, je débranche le téléphone.

Après un TROIS retentissant, mon amie a tiré la prise avec tellement de conviction qu'elle a failli arracher un pan de la tapisserie.

Ensuite, on était drôlement affolées, toutes les deux. Le coeur nous débattait. Comme si ce n'était pas assez d'entendre

le vent, la pluie et le tonnerre secouer la maison, Charbon s'est mis à miauler, à feuler, à se ruer à droite et à gauche comme si tous les diables de l'enfer lui couraient après.

On n'a jamais réussi à l'attraper. Seulement à renverser le vase rapporté d'Italie par le premier amoureux de je ne sais plus qui. Il y avait des éclats de verre partout dans le corridor. Il faisait trop sombre pour tout ramasser.

Finalement, on avait presque oublié le pas rigolo qui s'était amusé à nos dépens quand, à l'étage, le téléphone a sonné de nouveau.

Julie a bondi dans l'escalier. Cette fois, je l'ai arrêtée net. Je voulais la convaincre qu'il était bien plus prudent de laisser sonner. Qu'un maniaque au bout du fil était beaucoup moins dangereux qu'un maniaque qui s'introduit dans la maison. Elle n'a rien voulu entendre.

C'est pourtant la fille la plus intelligente de l'école Reine-Marie. L'as des as en mathématiques! En français! En histoire! Bref, en tout, sauf en géographie.

Après, je l'ai retenue de toutes mes forces en hurlant qu'un fou, un vrai, avait

fait un saccage terrible dans la chambre de tante Colette. Qu'il avait tout détruit. Que j'étais certaine que c'était lui qui nous harcelait au téléphone! Que je l'avais vu rôder autour de la maison! Qu'il avait sûrement une arme dissimulée dans la poche de son imperméable. Que s'il décidait de revenir, on n'avait rien, absolument rien pour se défendre!

Elle a fini par comprendre. Enfin, j'imagine, parce qu'elle s'est assise, comme une poche, sur la première marche de l'escalier. Je me suis glissée à côté d'elle.

Il n'y avait que le faible halo de sa lampe de poche qui éclairait nos visages. Et, pendant que le ciel continuait à nous tomber sur la tête, ma meilleure amie a passé délicatement son bras autour de mon cou avant de m'annoncer:

— Moi aussi, j'ai quelque chose d'important à te dire. Quelque chose de grave… Quelque chose qui concerne ta tante Colette, justement.

Je ne lui ai pas demandé: «Grave comment?»

Je l'avais deviné.

Chapitre VII
Un voleur, un punk ou un terroriste?

C'est aux nouvelles de dix-huit heures que Julie a appris qu'il était arrivé un accident à tante Colette.

On n'avait pas révélé grand-chose, à part que Colette Dansereau, la célèbre héroïne de la série télévisée *Solange et ses amis*, avait été agressée par un inconnu. Qu'elle était actuellement dans un hôpital de Montréal. Qu'on ne connaissait ni la gravité de ses blessures, ni les causes de cette agression. Que sa famille était auprès d'elle.

Sur le coup, je n'ai pas bougé, ni pleuré. J'étais trop saisie. Trop sous le choc. J'en voulais tellement à mes tantes de m'avoir tenue à l'écart. De m'avoir traitée comme une sapristi de mocheté de petit bébé. C'est après, seulement après, que j'ai réalisé. Je me suis tournée vers mon amie. Je l'ai fixée dans les yeux et j'ai dit, épouvantée:

— Si elle mourait? Si... elle ne revenait jamais?

Puis, le coeur en morceaux:

— Mes tantes n'ont pas l'habitude de me cacher des choses. Si elles l'ont fait, c'est parce que le pire est arrivé.

Julie a bien essayé de me rassurer, mais j'étais trop à l'envers pour l'écouter.

Je voyais tante Colette tantôt morte, tantôt paralysée, défigurée, dans le coma. Incapable, en tout cas, de revenir à la maison. Incapable de reprendre son rôle de Solange à la télé.

J'ai pris Julie par la main. Je l'ai tirée dans l'escalier.

Il faisait toujours aussi noir et, au bout du corridor, le téléphone sonnait encore. Curieusement, ma peur avait presque disparu. J'ai longé le mur jusqu'à la chambre de tante Colette. J'ai ouvert la porte. J'ai poussé Julie à l'intérieur.

La pauvre a braqué sa lampe de poche au milieu de la chambre. Elle est restée figée. Puis, éclairant peu à peu chaque recoin de la pièce, elle a dit, perdue dans ses pensées:

— Décidément, on lui en voulait beaucoup!

Puis:

— Je me demande pourquoi.

Et comme si elle y avait réfléchi:

— Il y a toujours une raison. Je suppose que les policiers vont la trouver.

J'ai ajouté, les dents serrées:

— C'est peut-être un voleur qui cherchait de l'argent ou un sapristi de gang de punks, de bedaines à l'air ou de tatoués qui n'a pas aimé son émission mercredi. Après tout, tante Colette a pas mal exagéré en menaçant toutes les élèves de son école de porter un uniforme comme dans les collèges de nonos.

Julie a qualifié mon idée de vraiment ridicule. Elle a dit que, de toute façon, l'homme à l'imper ne ressemblait ni à un punk, ni à un tatoué. Qu'en plus elle ne connaissait aucun nombril à l'air, nez percé ou bras tatoué assez malade pour saccager la chambre d'une vedette de la télé. Et pour me ridiculiser un peu plus, elle a ajouté:

— Un coup parti, pourquoi pas une bande de terroristes d'Afghanistan, d'Irak ou d'Arabie Saoudite?

J'ai répliqué:

— Pourquoi pas? Pas plus tard qu'hier, justement, Marie-Ève Poirier m'a raconté que, depuis le 11 septembre 2001, il y a des tas de musulmans qui quittent les

États-Unis pour s'installer ici. Elle doit être au courant, ELLE, puisqu'elle a habité cinq mois et demi en Californie.

Je ne sais pas ce que j'ai dit de si épouvantable. Elle a lancé, découragée, que je mêlais tout! Que, d'ailleurs, elle en avait assez entendu! Qu'elle préférait qu'on redescende! Qu'on attrape nos imperméables! Qu'on écrive un petit mot à mes tantes et qu'on file immédiatement chez elle! Qu'elle était déjà en retard! Que sa mère l'attendait à vingt et une heures pile!

J'ai répliqué qu'il n'en était pas question! Que mes tantes allaient arriver d'une minute à l'autre! Que ce serait très dangereux de circuler sur le boulevard! Que le cinglé nous guettait peut-être!

Puis, complètement affolée:

— Si tu me laisses toute seule dans cette sapristi de mocheté de maison, je t'en voudrai à mort, Julie Morin!

Après, je n'ai plus rien dit du tout. J'ai repensé à tante Colette et j'ai éclaté en sanglots. Julie a dû se sentir un peu moche. Elle s'est approchée, m'a serrée très fort dans ses bras. On est restées longtemps, comme ça, à se bercer. C'est le téléphone qui nous a ramenées à la réalité.

Il avait cessé de sonner.

L'orage aussi s'était calmé. Il n'y avait ni éclairs, ni tonnerre, ni vent, ni pluie. Que le silence. Un silence si oppressant que j'ai eu l'impression d'avoir perdu la notion du temps.

Quand j'ai demandé l'heure à mon amie, la lumière de sa lampe de poche s'est mise à vaciller. À clignoter. Il était vingt et une heures trente-deux quand les piles ont expiré.

Chapitre VIII
Comme deux siamoises

Au début, toutes les deux dans le noir total, on a eu l'impression d'entendre des choses. On se tenait par la main, sans bouger, sans presque oser respirer. Puis on s'est habituées. Comme il n'était pas question de circuler dans ce fouillis à l'aveuglette, on s'est assises bêtement sur le plancher.

Et, sans que je le veuille, je me suis mise à penser à tante Flo. À tout ce qu'elle raconte sur les phénomènes surnaturels qui accompagnent souvent la disparition de ceux qu'on aime. Je me suis demandé si la mort subite de la lampe de poche était une sorte de signe.

Le signe que tante Colette allait rejoindre mon père et ma mère dans leur ciel. Que je ne la verrais plus JAMAIS. Qu'avant de partir pour TOUJOURS elle avait quelque chose d'important à me dire. Qu'il fallait que je me recueille pour l'entendre.

Après quelques minutes de concentration, j'ai compris que j'allais paniquer. Qu'avant de vraiment capoter je ferais mieux d'en parler à Julie, même si, sur ces questions, ma meilleure amie est plutôt moqueuse. Presque arrogante, des fois.

Pourtant, elle n'a pas ri du tout. Elle a seulement affirmé qu'elle ne croyait ni à la fatalité, ni aux prémonitions, ni aux fantômes, ni aux maisons hantées! Et encore moins aux signes avant-coureurs de la fin prochaine de qui que ce soit! Que les piles d'une lampe de poche n'étaient pas éternelles! Un point c'est tout!

Après, pour me changer les idées, je suppose, elle s'est mise à me parler de Pierre-Yves Hamel en me disant qu'au bout du monde, sans moi, il devait certainement mourir d'ennui!

J'ai répondu que ça m'étonnerait! Qu'il était probablement en train de nager sur le dos d'un dauphin, d'une tortue ou d'une raie géante! Que l'amour de sa vie, c'était plutôt la plongée sous-marine! Qu'au fond Pierre-Yves Hamel hallucinait davantage sur les poissons tropicaux, les pieuvres, les éponges et les requins marteaux que sur Rosalie Dansereau.

Julie a soupiré:

— Tu es vraiment douée pour exagérer!

Elle m'a forcée à respirer par le nez. Forcée à compter de reculons en partant de mille douze. J'avoue que ce n'est pas de la tarte quand on est dans le noir total, qu'on a un vide immense dans le coeur et qu'on a envie de pleurer.

J'étais rendue à huit cent vingt-six quand quelqu'un a sonné à la porte d'en avant. J'ai cessé de respirer. Julie aussi. Puis, quelques secondes plus tard, on a entendu le bruit d'un trousseau de clés qui cherchait le trou de la serrure et qui avait du mal à le trouver.

C'est Julie, finalement, qui a articulé:

— C'est ton maniaque! Il essaie d'entrer!

Je ne sais plus comment on a réussi,

toutes les deux, à se faufiler dans la penderie de tante Colette. Mais c'est enfouies sous une montagne d'objets, agrippées telles des siamoises, que beaucoup plus tard l'homme à l'imper et la mère de Julie nous ont dénichées. Ils répétaient:

— Pauvres enfants! Pauvres enfants!

Puis:

— Vous pouvez sortir de là, l'électricité est revenue!

Elle était même revenue depuis quelques minutes déjà. Barricadées au fond d'un garde-robe, à trembler comme deux feuilles, on ne s'en était pas aperçues.

Enfin, il était presque vingt-deux heures, à la montre de mon amie, quand mes tantes sont arrivées. Moi, j'étais encore nichée dans les bras de sa mère, le coeur au bord des lèvres, à fixer l'homme à l'imperméable sans comprendre.

La mine basse, mes tantes m'ont d'abord serrée très fort en disant, comme pour s'excuser, qu'avant de quitter la maison elles m'avaient cherchée partout. Qu'à l'hôpital elles avaient tenté mille fois de me téléphoner. Que la ligne était toujours occupée.

Enfin, elles m'ont juré les unes après

les autres que tante Colette n'était plus en danger. Qu'elle n'était ni paralysée, ni défigurée, ni dans le coma. Qu'après quelques jours d'hôpital et quelques jours de repos elle pourrait même continuer à jouer son rôle de Solange à la télé.

J'ai annoncé en reprenant un peu mes esprits que dès l'ouverture de l'hôpital, demain, j'irais vérifier par moi-même.

Elles n'ont pas rouspété. Et, sans que je le leur demande, elles m'ont donné quelques explications sur la présence de l'espèce d'armoire à glace qui avait enlevé son imper et que, par mesure de sécurité, je n'avais jamais cessé de reluquer.

Quand je pense que cet homme n'était ni le fou, ni le maniaque que j'avais imaginé. Seulement un policier qui travaille avec le nouvel amoureux de tante Diane, à la Sûreté du Québec.

L'homme était, paraît-il, venu faire le guet uniquement pour rassurer mes tantes. Il leur avait promis d'être très discret et de surveiller la maison sans que je m'en rende compte. C'était pour accommoder la mère de Julie qu'il avait finalement utilisé son passe-partout pour entrer.

Malgré l'heure, j'ai supplié mes tantes

de me raconter tout ce qui était arrivé. De me le raconter dans les moindres détails.

Tante Alice a poussé un long soupir. Alors j'ai ajouté, le coeur gros, que j'aurais préféré être avec elles aujourd'hui. Que j'aurais tellement aimé qu'elles me fassent confiance. Que je n'étais plus le petit bébé à qui l'on doit encore tout cacher! Encore tout épargner! Que j'aurais même pu les aider!

Mes tantes m'ont dévisagée, stupéfaites, comme si quelque chose d'important leur avait échappé. Puis tante Alice, la larme à l'oeil, a commencé à raconter. Dans le grand salon du boulevard Saint-Joseph, on aurait pu entendre une mouche voler.

Le policier et la mère de Julie en ont profité pour quitter la maison en catimini. Julie aurait bien aimé rester, mais sa mère en a décidé autrement. Pendant qu'elle la tirait derrière elle, j'ai réussi à lui dire que je la rappellerais demain. Que je la rappellerais sans faute.

Chapitre IX
Un esprit légèrement fêlé

C'est Julie, finalement, qui m'a rappelée. Il était sept heures moins le quart du matin. Je me suis traînée dans le corridor et, avant même que je dise allô, elle a lancé tout de go:

— Puis? C'était un voleur, un punk ou un terroriste d'Arabie Saoudite?

Je lui ai demandé d'arrêter ses farces plates, d'arrêter illico, puis j'ai pris trois secondes pour apporter le téléphone dans ma chambre, deux pour me glisser sous les couvertures, et j'ai tout raconté d'une traite.

J'ai commencé en lui expliquant que c'était en revenant de faire ses courses, hier après-midi, que tante Alice avait découvert la chambre de tante Colette sens dessus dessous. La pauvre s'était mise à la chercher partout dans la maison. Évidemment, elle ne l'avait pas trouvée. Après elle s'était un peu énervée. Elle avait même appelé les pompiers, les ambulanciers, la police, puis tante Béatrice!

Ensuite, tante Béatrice avait téléphoné à tante Diane pour qu'elle appelle son nouvel amoureux. Celui qui travaille à la Sûreté du Québec. Après, tante Diane avait téléphoné à tante Élise… qui avait téléphoné à tante Flo… qui avait téléphoné à tante Gudule. Bref, il n'y avait que moi qu'on n'avait pas cru bon d'appeler.

Là, je n'ai pas pu m'empêcher de préciser:

— Te rends-tu compte, Julie Morin, que tante Colette s'est presque fait assassiner? Que, pendant ce temps, on a préféré me laisser répondre à des sapristi de mocheté de questions sur l'éruption d'un volcan au Japon ou la chute d'un météorite géant en Arizona?

Julie n'a pas réagi. Alors j'ai poursuivi en expliquant que les policiers étaient arrivés quelques minutes avant mes tantes. Qu'ils avaient posé des centaines de questions, pris des tonnes de photos et d'empreintes digitales, comme dans les films de gangsters. Que je m'en voulais à mort d'avoir tout manqué.

Enfin, c'était un peu avant seize heures que Luigi avait téléphoné à la maison pour

dire que tante Colette était aux soins intensifs de l'hôpital Notre-Dame. Quelqu'un l'avait trouvée, à demi inconsciente, dans le stationnement de Radio-Canada. L'individu qui l'avait agressée s'était rendu de lui-même au poste de police. Il avait l'esprit légèrement fêlé.

Là, j'ai respiré avant de poursuivre.

— C'est pour ça que mes tantes étaient si bouleversées quand je suis arrivée de l'école avec ma médaille d'or autour du cou. Elles venaient tout juste d'apprendre la mauvaise nouvelle.

Julie a soupiré:

— Finalement, ta tante Colette l'a échappé belle.

J'ai dit que c'était exactement les mots que le médecin avait prononcés après avoir parlé de commotion cérébrale. Qu'enfin, après un petit moment dans la salle d'opération, puis dans la salle de récupération, Colette avait repris ses esprits. Assez, en tout cas, pour raconter qu'elle connaissait l'individu qui l'avait attaquée.

Julie n'a pas eu l'air surpris. Elle a seulement dit que, dans la majorité des cas, l'agresseur était quelqu'un de l'entourage de la victime. Qu'elle avait lu ça quelque part dans les journaux.

J'ai continué en expliquant que le cinglé suivait tante Colette partout. Qu'il glissait ses lettres d'amour sous l'essuie-glace de son auto. Qu'elle en avait trouvé une bonne vingtaine, aussi folles les unes que les autres.

Le pire, c'est qu'elle n'en avait parlé à personne. Elle était certaine qu'un jour il allait se fatiguer. Malheureusement, il ne s'était pas découragé. Et quand tante Colette l'avait repoussé, les choses avaient mal tourné.

C'était après l'avoir battue comme un fou qu'il était venu à la maison tout saccager. Il cherchait ses sapristi de mocheté de lettres, je suppose!

Julie Morin n'a pas pu s'empêcher de me signifier que j'avais divagué avec mes gangs de terroristes, de punks ou de bedaines à l'air. J'aurais pu riposter qu'elle avait divagué encore plus avec ses peines d'amour de 2,2 à l'échelle de Richter.

Mais quelque chose de plus important me trottait dans la tête. Quelque chose qui commençait à me chicoter drôlement. J'ai demandé, perplexe:

— Si le cinglé a passé toute la soirée

au poste de police et que l'homme à l'imperméable est un policier, c'est qui le pas rigolo qui nous a téléphoné pendant des heures?

Et vous savez ce qu'elle a répondu?

— J'ai ma petite idée là-dessus, Rosalie Dansereau!

Elle n'a jamais voulu me révéler à qui elle songeait. Et, il était presque sept heures et demie quand j'ai raccroché. L'heure où l'on sert les petits-déjeuners à l'hôpital Notre-Dame. Je le sais à cause de la sapristi de mocheté de coqueluche que Pierre-Yves Hamel a attrapée l'hiver dernier. Il avait été soigné à la chambre 423, pavillon B, aile 3.

Tante Colette, elle, est juste à l'étage au-dessus. À la chambre 536. C'est tante

Alice qui me l'a appris.

Elle m'a dit aussi que les visites commençaient à treize heures, le samedi. J'ai pensé qu'attendre cinq heures et demie c'était beaucoup trop long pour quelqu'un qui mourait d'envie de vérifier l'état de santé de sa tante préférée. Je me suis habillée en vitesse.

Chapitre X
Des chocolats et des croustilles au vinaigre

En arrivant devant l'immense hôpital de la rue Sherbrooke, j'ai évité l'entrée principale. J'ai bifurqué vers une petite porte de côté. Après, j'ai grimpé l'escalier et, comme l'an dernier, j'ai rasé les murs sans regarder personne dans les yeux. C'est si facile de passer inaperçu quand les gens courent comme des fous.

Je n'ai eu aucun mal à trouver la chambre 536. J'en ai eu beaucoup plus à reconnaître tante Colette. Par chance, c'est elle qui a soufflé mon nom. La pauvre avait

autour de la tête un pansement aussi gros qu'un turban de fakir. Ses yeux, ses lèvres et son nez étaient super enflés.

Malgré tout, elle semblait heureuse. Comme si une bande d'anges lui chantait sa chanson préférée. Elle devait être un peu droguée. Ça a été plus fort que moi, j'ai commencé à pleurer.

Elle a dit:

— Ne pleure pas, ma soie. Ça paraît mille fois pire.

Ça m'a fait pleurer encore plus. Tellement que j'ai pensé que mes tantes avaient eu raison, la veille, de me laisser à la maison.

J'ai expliqué en bafouillant que j'étais venue en cachette, en dehors de l'heure des visites et tout et tout. Elle a chuchoté:

— Je n'en parlerai à personne.

Puis:

— Qu'est-ce que tu attends pour approcher?

Je n'avais jamais été si embarrassée. J'aurais voulu la serrer très fort dans mes bras. Lui dire que je l'aimais… C'est à peine si je parvenais à parler. Elle a souri.

— Tu peux me donner un bisou sur le bout du nez…

Je l'ai tout juste effleuré. Après, j'ai glissé dans sa main la boîte de chocolats et un sac de croustilles au vinaigre que j'avais achetés au dépanneur.

— C'est seulement des cochonneries, mais je reviendrai. Je reviendrai avec de meilleures choses pour la santé. Je reviendrai avec Béatrice, Alice et toutes les autres.

Puis j'ai tourné les talons. J'ai fui comme une sapristi de mocheté de lâche.

En arrivant à la maison, tout le monde dormait. J'ai filé directement dans ma chambre. Je me suis jetée sur mon lit et j'ai encore pleuré comme une fontaine, encore pleuré comme un bébé.

Chapitre XI
Aussi belle qu'avant

C'est un coup de téléphone à dix heures pile qui m'a sortie du lit. Après, il y en a eu six autres. Tous des appels de journalistes ou des amis de la famille qui voulaient des nouvelles de tante Colette.

Comme mes tantes dormaient encore, c'est moi qui ai tout raconté. Enfin, tout ce que mes tantes m'avaient dit la veille, plus ma façon de penser sur les cinglés qui s'attaquent aux vedettes de la télé. Il y a même un journaliste qui a tout enregistré.

Enfin le septième coup de fil, ce n'était ni un journaliste, ni un ami de la famille.

J'ai d'abord perçu une série de bruits, suivis d'un long silence, exactement comme avec le pas rigolo de la veille. Puis j'ai entendu mon nom. Puis une voix que j'ai eu bien du mal à reconnaître tellement elle me semblait loin et distordue. Une voix qui a répété trois fois «Rosalie!» avant d'ajouter:

— … suis sur… grande barrière… corail. En pleine mer! À quarante kilomètres des côtes… fait deux jours que j'essaie de te téléphoner… épouvantables, les lignes téléphoniques ici!

Puis, entre deux grésillements:

— Tu m'entends?

J'ai répondu:

— Oui, je t'entends.

Mais il n'y avait déjà plus personne au bout du fil. Alors j'ai poussé un cri assez retentissant pour que mes six tantes arrivent en courant. Elles croyaient, les pauvres, qu'un autre grand malheur venait de se produire.

J'ai dit, la mine basse:

— C'était un appel d'Australie! C'était Pierre-Yves! On n'a pas eu le temps de se parler, la communication a encore été coupée!

C'est tante Béatrice, finalement, qui m'a enlevé le téléphone des mains un peu sèchement.

— Il est onze heures dix, mon coeur. Il nous reste à peine une heure et demie pour nous habiller, manger et nous rendre à l'hôpital.

Je n'aurais pas dû dire que j'irais voir

tante Colette un peu plus tard. Qu'avant j'avais quelque chose de très important à faire. Mes six tantes m'ont regardée de travers.

Je ne pouvais tout de même pas leur avouer ma visite éclair de ce matin. Je m'en voulais déjà assez. Enfin, j'ai tenté de les rassurer:

— C'est une surprise pour tante Colette.

Je ne savais pas encore quoi, mais j'avais tout l'après-midi pour y penser.

Quand finalement elles ont quitté la maison, j'avais déjà trouvé. Je suis retournée dans la chambre de tante Colette avec une roulette de ruban adhésif et deux bouteilles de colle. Un seau d'eau, un balai, une vadrouille. Du détergent, de la cire pour les meubles, trois gros sacs à ordures et une dizaine de chiffons.

Et, sans me laisser distraire, j'ai ramassé, lavé, rangé, plié, collé pendant deux heures. À la fin, tous les débris de verre et de porcelaine avaient disparu. Les masques avaient été collés et rafistolés. Les livres, CD et DVD empilés. L'affiche de Charlie Chaplin scotchée et replacée. Bref, tante Colette pouvait revenir n'importe quand maintenant. Sa chambre était quasiment comme avant.

Il ne me restait plus qu'à courir dans ma chambre, à attraper le vieil ourson porte-bonheur qu'elle m'avait donné à mon premier anniversaire de naissance. À accrocher la médaille d'or autour de son cou, à écrire un petit mot et à l'épingler dessus.

Après, j'ai pris mon courage à deux mains, filé vitesse grand V sur le boulevard, descendu la rue Papineau jusqu'à Sherbrooke, tourné à droite et marché jusqu'à l'hôpital.

Quand je suis arrivée, l'heure des visites était presque terminée. Mes tantes étaient toutes parties et Colette s'était endormie. Je me suis approchée sur la pointe des pieds. J'ai glissé l'ourson à côté d'elle. Je lui ai murmuré qu'elle était ma tante

préférée. Qu'il ne fallait pas le dire aux autres. À Béatrice, surtout.

Puis je l'ai regardée attentivement et j'ai chuchoté à son oreille:

— Avec le temps, tu redeviendras aussi belle qu'avant.

Elle s'est mise à respirer rapidement, comme si elle était prisonnière d'une sapristi de mocheté de mauvais rêve. Après, je lui ai caressé la main longtemps en lui disant de ne plus s'en faire. Que j'étais là. Finalement, j'ai quitté la chambre en pensant qu'elle serait bien contente, en se réveillant, de lire le petit mot que j'avais écrit. C'était:

J'ai gagné cette médaille au grand tournoi de géographie de vendredi. C'est la première médaille de ma vie. Je te la donne. Je te prête mon ourson fétiche pour que tu guérisses plus vite. La maison est trop vide sans toi. La télé aussi.

Ta Rosalie XXX

Ensuite, j'avais le coeur mille fois trop léger pour me remettre à pleurer.

Épilogue

Après la terrible aventure de tante Colette, beaucoup de choses ont changé sur le boulevard Saint-Joseph. D'abord, mes tantes ont équipé la maison d'un système d'alarme et d'un répondeur.

Elles ont tellement la trouille qu'il m'arrive un malheur qu'elles ont décidé de ne pas attendre Noël ou mon prochain anniversaire pour m'équiper d'un cellulaire sophistiqué. Dix fois plus, en tout cas, que celui de Marie-Ève Poirier.

Il est muni d'une antenne GPS. En cas de danger, non seulement je pourrai toujours joindre mes tantes, mais elles sauront exactement où je me trouve sur la planète.

Puisque Pierre-Yves n'était pas encore revenu de son interminable voyage, j'ai étrenné mon appareil en téléphonant à mon amie Julie qui, en passant, avait bien deviné pour les fameux coups de téléphone.

Elle n'a pas trouvé que j'étais chanceuse. Elle a juste dit que ce n'était pas toujours drôle que le monde entier sache où l'on est. Que c'était comme d'avoir, vingt-quatre heures sur vingt-quatre, un espion dans la poche. Que le plus important, pour elle, c'était justement sa sapristi de mocheté de vie privée.

Je me demande encore une fois si elle n'est pas jalouse. Enfin, je ne connais aucune fille de onze ans et demi qui refuserait un cellulaire personnel pour parler avec ses amis.

Finalement, je n'ai rien répondu. J'avais trop peur qu'en lui disant ma façon de penser elle me raccroche encore au nez. Et, ma foi, c'est beaucoup moins compliqué pour garder celle qui sera toujours ma meilleure amie.